NOBUO SUZUKI

Ganbatte
がんばって

A ARTE JAPONESA DE FAZER O MELHOR
POSSÍVEL COM O QUE SE TEM

SEXTANTE

Título original: *Ganbatte: El Arte Japonés de Vencer las Dificultades*

Copyright © 2021 por Francesc Miralles & Héctor García
Copyright da tradução © 2022 por GMT Editores Ltda.

Traduzido mediante acordo com Sandra Bruna Agencia Literaria, SL.

Todos os direitos reservados. Nenhuma parte deste livro pode ser utilizada ou reproduzida sob quaisquer meios existentes sem autorização por escrito dos editores.

tradução: Beatriz Medina
preparo de originais: Monalisa Neves | Ab Aeterno
revisão: Hermínia Totti e Midori Hatai
projeto gráfico, diagramação e adaptação de capa: Natali Nabekura
imagem de capa: Enrique Iborra
impressão e acabamento: Cromosete Gráfica e Editora Ltda.

CIP-BRASIL. CATALOGAÇÃO NA PUBLICAÇÃO
SINDICATO NACIONAL DOS EDITORES DE LIVROS, RJ

S972g

Suzuki, Nobuo, 1949-
  Ganbatte / Nobuo Suzuki ; tradução Beatriz Medina. - 1. ed. - Rio de Janeiro : Sextante, 2022.
  176 p. ; 21cm

  Tradução de: Ganbatte
  ISBN 978-65-5564-472-2

  1. Zen-budismo - Japão. 2. Japão - Filosofia. 3. Autorrealização. I. Medina, Beatriz. II. Título.

22-79460
CDD: 294.3927
CDU: 244.82

Meri Gleice Rodrigues de Souza - Bibliotecária - CRB-7/6439

Todos os direitos reservados, no Brasil, por
GMT Editores Ltda.
Rua Voluntários da Pátria, 45 – Gr. 1.404 – Botafogo
22270-000 – Rio de Janeiro – RJ
Tel.: (21) 2538-4100 – Fax: (21) 2286-9244
E-mail: atendimento@sextante.com.br
www.sextante.com.br

SUMÁRIO

Prólogo   9

1. *Ganbatte*   13
2. A grande onda de Kanagawa   17
3. Três anos sentado numa pedra   21
4. Pedra que rola não cria musgo   25
5. O difícil e o impossível   28
6. *Sha... kan... kan*, o valor da paciência   31
7. Perder é ganhar   34
8. As mais longas jornadas começam com o primeiro passo   37
9. O arqueiro e a lua   39
10. As 10 leis do *ganbatte* para empreendedores   41
11. O sonho de Jiro: a perfeição do *shokunin*   45

12	Para sair da crise	48
13	Esperança *kibō*	50
14	O homem que plantava árvores	52
15	A gata Tama	55
16	*Ganbatte* e *Wabi Sabi*	58
17	Yayoi Kusama	60
18	As duas leis do *maneki neko*	64
19	O músculo mais importante	67
20	As 10 leis do *ganbatte* para os escritores	70
21	*Shuhari*: a maestria dos *takumis*	73
22	As empresas mais duradouras do mundo	79
23	O método *kaizen*	82
24	Meditação: ver as nuvens passarem	85
25	Buda embaixo da árvore	87
26	*Katana*: mire a beleza	90
27	A filosofia do karatê	93
28	Tênis: a quadra da força mental	97
29	Quando não tiver vontade de se exercitar, *ganbatte!*	100
30	As 10 leis do *ganbatte* para a boa forma física	103
31	Miyamoto Musashi: transforme sua mente em água	108
32	Estoicismo e *ganbatte*	111

33	Seu inimigo é seu melhor amigo	115
34	O que não se vê, mas se pode sentir	118
35	A estaca e o corredor	120
36	A equipe Hoyt	123
37	Mentalidade de maratonista	125
38	Livre-se da segunda flecha	129
39	O longo caminho do amor	131
40	As 10 leis do *ganbatte* para o amor duradouro	133
41	Akira Kurosawa: tudo pela perfeição	136
42	O pico do monte Fuji	139
43	Reinventar a roda	142
44	Nos passos de Marco Polo	145
45	A rota dos peregrinos	148
46	Joseph Merrick: a heroicidade de ser humano	151
47	*Kōan*	154
48	A vida como obra de arte	156
49	Nunca apresse a viagem	160
50	As 10 leis do *ganbatte*	163
	Nota final	167

PRÓLOGO

Toda vez que Francesc vem ao Japão, sei que uma aventura vai começar e que, no final, dará origem a um novo projeto.

Foi assim que concebemos nosso primeiro livro juntos: *Ikigai: Os segredos dos japoneses para uma vida longa e feliz.* A ideia surgiu em passeios por Tóquio e Enoshima, que logo nos levaram a viajar até Ogimi, a aldeia dos centenários que faz parte do arquipélago de Okinawa. Esse foi só o começo: logo vieram muitos anos escrevendo mais livros e estudando os fundamentos de uma vida com *ikigai*.

No fim de 2019, Francesc deu meia-volta ao mundo e passou novamente por Ogimi, dessa vez sob as lentes da *National Geographic* para gravar um documentário sobre longevidade. Eu me juntei à aventura partindo de Tóquio.

Os tons azul-turquesa e a brisa marinha do *chura umi* (como chamam o mar no quase extinto idioma de Okinawa) são nostálgicos e, ao mesmo tempo, trazem uma estranha sensação de familiaridade.

Quando nos aproximamos da aldeia, Francesc e eu sentimos que Ogimi já fazia parte de nossa vida.

Quase cinco anos depois da primeira visita, nos perguntamos como estariam os anciãos com quem convivemos na viagem que fizemos para entrevistá-los. Foi uma grata surpresa saber que Higa continuava em plena forma.

Quando a conhecemos, ela tinha 96 anos. Agora, ao nos receber em casa, mostrou com orgulho o certificado oficial de "centenária" que ganhou do governo japonês.

Higa mora em uma casa humilde de apenas um andar a um minuto do mar. Atrás da construção há uma pequena horta onde ela continua cultivando verduras e legumes e, mais além, a floresta de Yanbaru, onde dizem que vive o duende Bunagaya.

Quando chegamos, Higa põe um exemplar do nosso *Ikigai* no altar da sala. Ela se ajoelha no tatame e, depois de acender algumas varetas de incenso, fecha os olhos e começa sua oração. Primeiro, agradece aos antepassados por continuar viva e por lhe darem sorte. Depois, pronuncia nosso nome e o título do nosso livro, oferecendo-o a seus antepassados e ao povo em geral.

Visitar Higa outra vez e ver que continua saudável e feliz nos enche de gratidão.

No dia seguinte, nosso amigo Miyagi, que também participou de nossa primeira aventura, conta que Oshiro, um dos homens mais velhos de Ogimi, quer nos conhecer.

Aos 108 anos, com um filho de 82, ele nos recebe em sua casa, que fica num vale próximo à residência de Higa, só que um pouco mais longe do mar. Deixamos os sapatos no vestíbulo e entramos descalços em uma grande sala com tatames.

Oshiro se levanta sem ajuda e se aproxima para nos cumprimentar. É inspirador ver tanta vitalidade em uma pessoa de 108 anos. Ele conta histórias de sua vida que remontam às lembranças da guerra, à qual sobreviveu por milagre. Foram poucos os sobreviventes de Okinawa.

Ele mostra com orgulho uma foto em que aparece andando de moto no dia de seu centésimo aniversário. Quando fala do passado, seus olhos brilham com a energia e a altivez de um adolescente.

Logo ele se dispõe a ir ao jardim para regar a horta. Posa com paciência para as câmeras da *National Geographic*. O céu azul está enfeitado com poucas nuvens, as montanhas da floresta de Yanbaru nos rodeiam e uma brisa leve carrega o cheiro salgado do mar.

Nosso anfitrião colhe umas *shikuwasas*[1] e as oferece a nós como presente de despedida.

A última pergunta que lhe fiz foi:

– Qual é o segredo para uma vida longa?

Oshiro respondeu:

– *Ganbatte*.

Essa palavra pode ser traduzida como: "Eu me esforcei e fiz o melhor que pude." Depois de alguns segundos de silêncio, ele acrescentou:

– *Mainichi ganbattemasu*.

A tradução dessa expressão pode ser: "Eu me esforço to-

---

1 Fruta cítrica nativa de Ogimi que, segundo muitos estudos científicos, tem alta concentração do potente antioxidante *nobiletina*.

dos os dias." Ele encerrou fazendo uma reverência a mim e a Francesc enquanto dizia uma última palavra de despedida:

– *Ganbatte!*

Ganbatte aqui significa algo como "Ânimo! Esforce-se ao máximo a partir de agora."

Sem se dar conta, com essa despedida Oshiro plantou em nós a semente de uma ideia.

Ganbatte não é só uma palavra, é uma forma de ver a vida.

Ganbatte é uma mentalidade, uma atitude que se pode aprender e aplicar no dia a dia.

Ganbatte é uma ferramenta para que você se anime e dê ânimo aos seus entes queridos.

Ganbatte vai ajudar você a ir sempre em frente com um sorriso, aconteça o que acontecer.

Ganbatte é um norte para não cairmos na letargia e no desânimo quando passarmos por desventuras inesperadas.

A primeira vez que fomos a Ogimi, trouxemos muitas lições dos centenários, como a que *ikigai* é o segredo para uma vida realizada. Nessa segunda visita, fomos presenteados com uma nova lição desse homem de 108 anos cheio de vida.

As palavras de Oshiro despertaram nosso desejo de que existisse o primeiro livro sobre o *ganbatte*.

— Héctor García
Outubro de 2020, Tóquio

1
GANBATTE

Ganbaru 頑張る é um verbo japonês que pode ser traduzido como "fazer o melhor possível", "não desistir", "manter-se firme", "insistir" ou "perseverar".

É composto por três caracteres:

頑: teimoso, obstinado;
張: estirar, tensionar, expandir;
る: caractere *hiragana* que demarca o infinitivo dos verbos.

Em muitas culturas, antes que algum conhecido enfrente um desafio, uma competição, um exame ou uma nova aventura na vida, costuma-se desejar-lhe boa sorte. No Japão, usa-se o verbo *ganbaru* conjugado no imperativo sob a forma *ganbatte* 頑張って. *Ganbatte* é a forma verbal mais utilizada de *ganbaru* e pode ser traduzida como "Faça o melhor possível e não desista!".

> As formas verbais mais utilizadas de *ganbaru*:
>
> - *Ganbaru* ou *ganbarimasu* 頑張る、頑張ります: primeira pessoa do singular, "Vou fazer o melhor possível!".
> - *Ganbatte* 頑張って: usada para se dirigir a outra pessoa e animá-la.
> - *Ganbatte kudasai* 頑張ってください: é como *ganbatte*, só que acrescido de "por favor".
> - *Ganbare* 頑張れ: como *ganbatte*, só que mais imperativo, quase dando uma ordem.
> - *Ganbarou* ou *ganbarimashou* 頑張ろう、頑張りましょう: "Vamos fazer o melhor possível", para animar todos os integrantes de uma mesma equipe.
> - *Isshokenmei ganbatte* 一生懸命頑張って: "Faça o melhor possível, dê tudo de si, ponha toda a sua vida nisso."

Quando dizemos "boa sorte", parece que o resultado está nas mãos do acaso, fora de nosso controle. Já em japonês, quando se diz *ganbatte*, a ideia é transmitir que o esforço de que a pessoa precisa para enfrentar um problema depende dela mesma.

Dentro do significado de *ganbatte* também é importante a parte do "melhor possível", que aceita que as coisas podem não ir tão bem, pois há aspectos que estão longe do nosso alcance.

É a essência *wabi sabi* da realidade. O esforço é mais importante do que a sorte.

A mensagem filosófica de *ganbatte* é: "Faça o máximo

que conseguir. Se a situação não for como você espera, não há problema. Você não precisa se sentir mal, porque sabe que fez tudo o que podia."

No Japão, usamos *ganbatte* diariamente. Um dos usos mais comuns é quando nos despedimos da família pela manhã para ir trabalhar ou estudar.

Também usamos *ganbatte* em eventos esportivos, em qualquer tipo de atividade social, quando estamos com um amigo e sentimos que ele precisa de uma dose de ânimo, quando uma catástrofe natural assola nossas ilhas...

Se você fez o melhor possível, não importa que o resultado não seja o esperado, porque, no fundo, você sabe que não desperdiçou a oportunidade.

Faça o melhor que puder,
usando sua capacidade da melhor forma possível,
insista,
persevere,
siga em frente,
não desista.
E, se não conseguir o que queria,
não desanime,
não se sinta mal.
Não tem problema.
Você fez tudo o que podia.

Ganbatte!
頑張って！

Mentalidade letárgica e procrastinadora	Mentalidade *ganbatte*
Não tenho vontade.	Começo mesmo sem vontade.
Não vale a pena.	Se eu não tentar, não saberei se vale a pena ou não.
Desisto.	Volto a tentar com o que aprendi.
Talvez eu tenha sorte.	Farei o melhor possível para que a sorte fique a meu lado.
Só o êxito importa. Se não tenho certeza de que vou conseguir, nem me mexo.	O mais importante é aprender durante o percurso.
O que os outros vão pensar?	O que o meu eu futuro vai pensar se me vir na máquina do tempo?
O que importa é o resultado.	O mais importante é me transformar em uma pessoa mais sábia por meio do *ganbatte*.

2

A GRANDE ONDA DE KANAGAWA

A arte de avançar

A grande onda de Kanagawa é uma das obras de arte mais emblemáticas da história. É uma criação do artista Katsushika Hokusai, especialista em *ukiyo-e* (gravura japonesa).

A gravura de Hokusai povoa não só o imaginário japonês como de todo o mundo. Os barcos a remo enfrentam a fúria do mar sob a visão impassível do monte Fuji. O branco da neve do Fuji se confunde com o branco da espuma das ondas, que parecem se lançar sobre os marinheiros com garras afiadas.

O que acontecerá quando a onda quebrar? Os barcos vão naufragar? Os marinheiros vão conseguir mudar de direção e superá-la com habilidade? Para sobreviver, sua única alternativa é remar, na esperança de deixar a grande onda para trás.

A grande onda de Kanagawa representa o espírito *ganbatte* do Japão: os marinheiros não desistem, remam com o máximo esforço para ir adiante, para sobreviver.

As ondas do mar são uma metáfora fabulosa da vida: às vezes, tudo parece fluir sem grandes problemas. Nós nos sentimos como um velho navegante, de quem o mar não esconde nenhum segredo. As oportunidades surgem no momento certo e nos encontram preparados. Porém, em outras ocasiões, nos estressamos diante do desconhecido que, de súbito, nos deixa emocionalmente sobrecarregados. É quando nos tornamos os remadores de *A grande onda de Kanagawa*.

Seja qual for a situação, há algo de que podemos ter certeza: até as ondas mais gigantescas sempre quebram para a frente.

Podemos sofrer um acidente ou viver períodos em que só recebemos más notícias, mas, aconteça o que acontecer, sempre podemos escolher seguir em frente.

Navegue com o espírito do *ganbatte*.

O marinheiro principiante que não consegue navegar muito porque enjoa sempre volta ao mar tendo ganhado algo: uma lição.

Faça o melhor possível. Una-se às ondas e aprenda com elas, sabendo que algumas vão vencê-lo e arrastá-lo para a praia.

Sempre haverá a terceira opção, a pior de todas: ficar na praia, como quem espera que as oportunidades caiam no colo. Assim, o marinheiro se condena a ser um mero espectador da vida e nunca aprenderá nada.

O filósofo britânico Alan Watts encontrou algo em comum entre as ondas e os seres humanos: "Você não veio a este mundo. Você saiu dele, como a onda que surge no oceano. Você não é um estranho aqui."

Além disso, ele usou o movimento do mar para demonstrar que não precisamos nos preocupar muito com a repercussão de nossos atos: "Você é uma função do que o universo está fazendo, assim como a onda é uma função do que o oceano está fazendo."

Porque as ondas podem ser uma analogia da vida.
No mar, não podemos parar as ondas, e na vida não podemos parar os acontecimentos que o tempo nos traz.
Se ficarmos parados no mar, as ondas nos engolirão.
Se ficarmos parados na vida, a apatia nos devorará.

Se não é possível parar a onda
Transforme-se nela.

Ganbatte!

Naufragar	Navegar nas ondas
Só no último instante vejo que as ondas estão próximas.	Sei prever as ondas gigantes.
Vou para o mar sem olhar como está o tempo.	Eu me preparo profundamente para a travessia.
Eu me jogo em alto-mar sem preparação.	Treino nas ondas pequenas antes de enfrentar as grandes.
Confio na sorte.	Confio na experiência que me ajuda a prever e a intuir melhor.
Fragilidade. Naufrago na primeira tempestade.	Resiliência. Eu me adapto às condições do mar.

3

TRÊS ANOS SENTADO NUMA PEDRA

石の上にも三年 — いしのうえにもさんねん

Ishi no ue ni mo san nen

Quando observo o meu gato Tama, que às vezes descansa sobre uma pequena pedra no jardim, recordo o ditado popular *Ishi no ue ni mo san nen*. É uma frase que todo japonês conhece desde criança e que literalmente quer dizer: "Em cima de uma pedra, três anos."

A frase não deixa claro, mas a mensagem é que, se ficar sentado ali durante três anos, você acabará dissolvendo a pedra. Mesmo que algo pareça estranho ou difícil a princípio, se você perseverar o suficiente acabará no controle da situação.

Por exemplo, se você começou em um novo emprego, talvez nas primeiras semanas seja difícil conviver com desconhecidos, ainda mais trabalhando em algo que não domina. Mas, com o tempo, você acabará fazendo amigos e aprenderá lições valiosas às quais não teria acesso se tivesse jogado a toalha logo no início.

Diz a lenda que o monge budista Bodhidharma ficou três anos sentado na mesma pedra sem se mexer. Será que ele dissolveu a pedra? A resposta é: não importa. O importante é a força de vontade que ele teve para conseguir.

O monge Bodhidharma sentado na mesma pedra durante três anos

A imagem de Bodhidharma sentado inspirou a criação da famosa imagem do Daruma: o talismã em forma de ovo vendido na entrada de templos e santuários. A peça tem os olhos em branco para que você pinte um deles com uma caneta e faça um desejo ou estabeleça uma meta.

O Daruma deve descansar em algum lugar visível de sua casa para que todo dia, ao vê-lo, você se lembre do que desejou quando preencheu o primeiro olho. Só quando o desejo se cumprir ou a meta for atingida é que você poderá pintar o segundo olho.

© Héctor García & Francesc Miralle

Mas não é necessário ter uma pedra para se sentar nem um Daruma com olhos em branco para preencher. Quando começar algo novo aparentemente inacessível, visualize a meta e escreva seu propósito em uma folha de papel.

Ishi no ue ni mo san nen nos recorda que a questão não é apenas começar, mas também ter determinação para terminar o que começou. Em cima de uma pedra, três anos.

4

PEDRA QUE ROLA NÃO CRIA MUSGO

転石苔むさず

Tenseki koke musazu

A cultura japonesa está cheia de contrapontos que parecem não fazer sentido. Gosto de pensar que isso é resultado de pragmatismo para lidar com as diferentes situações da vida.

Nada em nossa existência é uma linha reta. Por isso, ficar sentado três anos na mesma pedra, como comentamos no capítulo anterior, nem sempre é a melhor estratégia. É preciso aprender em quais momentos não vale a pena perseverar.

O idioma japonês é ambíguo por natureza. Os japoneses gostam de ambiguidades, pois sua interpretação pode ser flexível, dependendo da situação.

Talvez por isso o provérbio ocidental "Pedra que rola não cria musgo" me pareça tão instigante. É a adaptação do provérbio escrito por Públio Siro (85-45 a.C.): *Lapis qui volvitur algam non generat*. Com isso ele quis dizer que os nômades estão sempre em movimento, sem criar raízes, para preservar sua liberdade e sua independência. Era considerado uma virtude.

Séculos depois, Erasmo de Roterdã reinterpretou o ditado e escreveu, também em latim: *Musco lapis volutus haud obvolvitur*, que se traduz como "O musgo não cresce na pedra que rola". Para o filósofo, ser uma pedra parada é sinônimo de estagnação. É preferível ser ágil e estar sempre rolando, adaptando-se a novas situações.

Esse ditado inspirou Bob Dylan a escrever sua antológica canção "Like a Rolling Stone". Mas deixemos a pedra de lado e nos concentremos no musgo. Ele é bom ou ruim?

Para os japoneses, o musgo é importante e especial. De fato, a palavra "musgo", *koke* 苔, aparece até no hino nacional:

Kimigayo wa
Chiyo ni yachiyo ni
Sazare-ishi no
Iwao to narite
Koke no musu made

Que seu reino
continue por mil, 8 mil anos
durante gerações,
até que as pedrinhas
cresçam e virem grandes rochas,
até que o *musgo* as embeleze.

Embora o musgo seja belo para os japoneses, eles também interpretam a sua versão de "Pedra que rola não cria musgo" 転石苔むさず – *Tenseki koke musazu* – como Erasmo de Roterdã e Públio Siro.

Tudo depende do ponto de vista: Se você ficar parado e o "musgo ruim" começar a crescer, está na hora de começar a rolar. Se estiver sempre rolando sem deixar que o "musgo belo" cresça, está na hora de fazer uma pausa e perseverar.

A grande questão é: como saber se é melhor ficar parado ou continuar rolando em busca do próximo objetivo?

Só você pode responder essa pergunta. O importante é não se sentir preso.

Neste livro, compartilharei com você algumas das minhas ferramentas favoritas, mas lembre-se: você possui recursos para usar a qualquer momento, de acordo com a sua situação pessoal.

Seja flexível.

Mudar de estratégia e acrescentar variações à sua vida é bom. Em um momento, você pode ser uma pedra que rola, veloz e inalcançável; em outro, ficar parado, fazendo o musgo fresco crescer ao seu redor.

5
O DIFÍCIL E O IMPOSSÍVEL

O lema do Corpo de Engenheiros do Exército dos Estados Unidos é o seguinte: "O difícil fazemos hoje. Para o impossível, demoramos um pouco mais."

Sempre que ouço essa frase me lembro de um romancista que participou anos atrás de um de meus cursos sobre criatividade, com alunos de vários países.

Músico e produtor, Jordi Campoy trabalhava desde muito jovem num programa de TV que contava com milhões de espectadores e já tinha recebido os artistas mais famosos de seu país. No entanto, esse não era seu sonho.

Qualquer outra pessoa do setor adoraria ter um cargo como esse, dificílimo de conseguir, mas ele não o valorizava tanto assim. Seu verdadeiro sonho era publicar o primeiro romance.

Ele tinha começado a escrever 10 anos antes: a história de uma violoncelista de Londres que sempre chegava atrasada e tinha uma vida sentimental complicada. Além disso, o velho estojo do instrumento guardava um segredo de seu passado que nem ela conhecia.

Quando me contou com paixão a história do romance iniciado havia tanto tempo, perguntei-lhe em que fase estava o original.

– Já escrevi quatro versões do livro completo – confessou.

Ele me explicou que, sempre que concluía o manuscrito, mandava-o para profissionais do ramo fazerem uma leitura crítica. Aceitava as sugestões com gratidão e, depois de compreender o que faltava ou podia ser melhorado, arregaçava as mangas e escrevia uma nova versão de *A moça do violoncelo*.

Assim, ele ficou 10 anos refazendo seu trabalho sem nunca perder o ânimo, e afinal obteve seu prêmio. Depois de trabalhar com um guia literário que o fez descartar metade do original e reescrevê-lo, enfim apresentou o livro a uma editora.

O primeiro editor ficou muito interessado na história, escrita com maestria depois de tanto esforço, mas não se interessou em publicá-la. O segundo que a leu adorou o romance e o publicou.

Houve boa aceitação da crítica e do público, além de várias reedições.

Hoje, esse produtor musical se tornou alguém do mundo da literatura, e a mesma editora que publicou o primeiro livro encomendou o segundo.

Ele vive o sonho de sua vida.

Se tivesse desistido quando recebeu as críticas à primeira versão do original, que tinha 400 páginas, sua aspiração a romancista se tornaria nada mais que um devaneio. Ele também não desistiu quando, ao escrever o livro pela segunda e pela terceira vez, disseram-lhe que não era publicável.

Esse sonhador continuou fazendo o difícil a cada dia e demorou um pouco mais, 10 anos, para conseguir o impossível.

6

SHA... KAN... KAN,
o valor da paciência

Uma antiga história zen conta que um aluno e seu velho mestre estavam numa casa tradicional japonesa. Desde que tinham entrado, o sábio não dirigira ao rapaz nada além de um leve gesto para que se sentasse. Nenhuma palavra.

Inquieto, ele perguntou ao mestre:

– O que faço para conseguir a iluminação rapidamente?

Sem pressa para responder, o erudito permaneceu em silêncio. Deu um gole na xícara de chá sem olhar para o aluno. Em paz, contemplava o frondoso jardim que se abria à sua frente, e uma brisa leve agitava o bosque de pinheiros que o rodeava.

O aluno rompeu o silêncio outra vez:

– Quero a iluminação já!

Cansado, o ancião se virou para ele com o peso dos anos, mas com a serenidade que só a paz pode oferecer. Com os olhos fixos no aluno, murmurou:

– *Sha... kan... kan...*

Depois disso, o silêncio voltou a tomar conta da sala.

Confuso, o aluno indagou:

– Como aplico o... *shakankan*? O que isso significa?

Sem perder um pingo de calma, o mestre tomou mais um sonoro gole de chá. Depois, respondeu à pergunta de modo simples, mas contundente:

– Acalme-se, relaxe e avance pouco a pouco, a passos firmes.

O aluno, irritado por não ter seu nível de empolgação correspondido, retrucou, exaltado:

– Relaxar? Quero a iluminação quanto antes!

O mestre voltou os olhos outra vez para o bosque e sussurrou:

– Sente-se. Escute com atenção o que a voz dos pinheiros tem a lhe dizer.

Aluno e mestre se sentaram num tatame no jardim e passaram o resto da tarde escutando como o vento fazia os pinheiros falarem.

O que o mestre ensinou ao aluno? Que a vida recompensa os pacientes e castiga os que têm pressa.

A paciência é uma das virtudes que mais tendemos a subestimar e até a esquecer, mas é muito poderosa. Em algum momento, todos nos deixamos levar pela urgência. Isso é humano. Mas detenha-se um minuto e pense na última vez em que você agiu de forma impulsiva para terminar algo depressa e, sem conseguir resolver nada, acabou ainda mais frustrado. Se pudesse voltar no tempo, você agiria com mais paciência na mesma situação?

Em seguida, façamos o exercício contrário: visualize algo de que se orgulha muito. Como você o conseguiu? Com certeza, teve muita paciência para isso e investiu tempo e esforço durante meses ou anos.

Quando leio a biografia de pessoas exemplares, noto que todas têm em comum a paciência.

Masao e Miyako Matsumoto receberam, em 2018, o prêmio do Guinness World Records por formarem o casal mais velho do mundo, com a idade somada de 208 anos: Masao com 108 e Miyako com 100.

Eles se casaram em outubro de 1937. Na época em que receberam o prêmio, completavam 80 anos de casados. Quando lhe perguntaram o segredo de seu amor inabalável durante tanto tempo, Miyako explicou que o ingrediente principal foi a paciência.

A pressa não traz nada de bom.
Só nos estressa.

Sha...
kan...
kan.

7

PERDER É GANHAR

負けるが勝ち

Makeru ga kachi

Às vezes, a melhor opção não é ganhar, mas perder.

Há alguns anos, fui convidado a passar a tarde na casa de um conhecido em Okinawa. Depois de tomar chá numa sala de tatame com vista para um jardim magnífico, o anfitrião sugeriu uma partida de *Go*.

Aceitei, porque desde menino sou encantado por esse jogo. Depois de meia hora de partida, o tabuleiro estava praticamente dominado pelas minhas fichas. Eu ia ganhar, não havia dúvida. Mas notei que meu adversário ficava mais mal-humorado conforme eu encurralava suas posições com minhas fichas. O ambiente ficou pesado.

Então me perguntei: valeria a pena ganhar a partida só para alimentar meu ego e demonstrar que era mais hábil do que meu anfitrião no jogo ou seria melhor deixá-lo ganhar para que ele ficasse de bom humor pelo resto do dia e todos passássemos uma noite agradável?

Optei pela segunda alternativa.

Depois da partida, tudo foram risos. Fomos jantar e conversamos sobre literatura e música até depois da meia-noite. Foi o começo da minha relação com ele, que hoje considero um de meus melhores amigos.

Ao perder, ganhei muito mais do que uma partida.

Em japonês, temos a expressão *makeru ga kachi* 負けるが勝ち, "perder é ganhar", para lembrar que há situações em que o ego ou o orgulho não nos deixa ver a real vitória.

Precisamos aprender a reconhecer os momentos em que perder nos faz ganhar a longo prazo e a incluir em nossas considerações os sentimentos dos outros, não só os nossos. Nas situações em que você estiver enfrentando algo ou alguém e sentir certo incômodo, pergunte-se qual seria o resultado se você perdesse.

Situações em que às vezes é melhor perder:

- **Família:** deixe seus filhos ganharem de você de vez em quando para reforçar a autoestima deles.
- **Negócios:** em certas ocasiões, conseguir uma percentagem menor do que a prevista inicialmente pode ser uma vantagem. Talvez seja o começo de uma relação melhor que durará mais e beneficiará tanto você quanto seu sócio.
- **Amor:** nas discussões, às vezes deixe que o outro vença. Talvez o resultado seja melhor para ambos.

- **Trabalho:** permita que seu colega faça as coisas como deseja, mesmo que vá contra sua forma de agir. Talvez ele se converta num aliado para ajudá-lo em projetos futuros.

8

AS MAIS LONGAS JORNADAS COMEÇAM COM O PRIMEIRO PASSO

千里の道も一歩から

Senri no michi mo ippo kara

Quando contemplamos a obra de um artista famoso ou admiramos os recordes de um atleta, não levamos em conta que eles já foram crianças. Ficamos com a sensação de que adquiriram suas habilidades de repente, abençoados por um milagre que os encheu de talento. Mas, na realidade, houve um tempo em que:

1. o pianista profissional tocou pela primeira vez uma tecla do piano;
2. o pintor famoso pegou pela primeira vez um pincel com sua mãozinha de menino;
3. o medalhista olímpico não sabia andar;
4. o romancista de renome ainda não sabia ler.

Em japonês, temos o ditado *Senri no michi mo ippo kara*

千里の道も一歩から, que significa: "Até as mais longas jornadas começam com o primeiro passo." Esse ditado demonstra que não importa em que momento da vida estamos: tudo começou com o primeiro passo, e estamos no meio do caminho rumo a um futuro que não deve nos oprimir.

Se você está pensando em começar um novo hobby, iniciar um novo relacionamento ou mudar de emprego e se sente bloqueado ao pensar no abismo que terá que atravessar, o melhor é se concentrar em dar o primeiro passo. Faça a matrícula, envie a mensagem ou o currículo... ponha um pé na frente do outro e comece a caminhar.

Dar o passo inicial é a parte mais difícil, mas, uma vez dado, lhe trará mais autoconfiança. De repente, você vai sentir que tem capacidade para dar o segundo passo, depois o terceiro. A partir de determinado momento, caminhar vai se tornar algo instintivo.

E, se desanimar em algum momento, lembre-se do *ganbatte*. Ele vai incentivá-lo a continuar andando.

Logo você vai olhar para trás e se dar conta de que aquilo que começou com um único passo já é uma longa viagem. Além disso, o mais importante é que você não será a mesma pessoa do início. Terá crescido como ser humano.

9

O ARQUEIRO E A LUA

Uma história tradicional diz que um jovem de uma aldeia se propôs a ser o melhor arqueiro do mundo. Para isso, foi pedir conselhos ao grande mestre de *kyūdō* daquela comarca.

Depois de uma longa viagem por prados, rios e montanhas, ele o encontrou em sua cabana humilde, numa clareira do bosque.

Ajoelhado diante do ancião, perguntou:

– Desejo ser o melhor arqueiro do mundo, mestre. O que devo fazer para conseguir?

Depois de meditar por um instante, o ancião respondeu com tranquilidade:

– Se quer ser o melhor arqueiro do mundo, tenho uma missão para você: acerte a lua com uma de suas flechas. Como até hoje ninguém conseguiu, você será o primeiro e, portanto, ninguém poderá igualar sua destreza na arte do *kyūdō*.

Abalado com essa missão, o jovem arqueiro fez o longo caminho de volta. Em sua aldeia, dedicou-se de corpo e alma à missão recebida.

Limpou com esmero o arco e as flechas e dedicou cada noite a atirar na direção da lua, assim que ela surgia no horizonte.

Todas as noites perseverava em seu objetivo, fosse a lua cheia, crescente ou minguante. Treinava até nas noites de lua nova, quando não é possível visualizá-la.

Começou a correr o boato de que o rapaz tinha enlouquecido e passaram a chamá-lo de lunático. No entanto, ele não se importou com as zombarias e provocações. Continuou atirando em direção à lua.

Depois de muito tempo, ao perceber que não conseguia atingir seu objetivo, o jovem arqueiro novamente visitou o mestre de *kyūdō* para comunicar-lhe que tinha fracassado.

– Pelo contrário – disse o ancião, dando-lhe um tapinha no ombro –, você cumpriu a missão de maneira extraordinária. Nenhuma de suas flechas atingiu a lua, como é natural, mas você lançou tantos milhares de flechas que, sem dúvida, já se converteu no melhor arqueiro do mundo. Porque, na verdade, não era a lua que você mirava...

– Não? – perguntou o arqueiro, feliz e surpreendido por ouvir aquilo. – O que eu estava mirando então, mestre?

– O arqueiro mira a si mesmo.

10

AS 10 LEIS DO *GANBATTE* PARA EMPREENDEDORES

Empreendedor é aquele que toma a iniciativa, dá o primeiro passo e, depois, não desiste com os obstáculos que surgem e segue em frente.

O espírito do empreendedor pode ser aplicado tanto ao mundo empresarial quanto ao contexto das artes, à prática de qualquer hobby ou esporte e até à tomada de iniciativa na hora de cuidar da saúde.

Levando em conta o último exemplo, qual é o melhor momento para uma pessoa começar a cuidar da saúde?

Para responder a essa pergunta, a pessoa letárgica fará planos para o futuro, pensará em formas de se cuidar, de mudar a alimentação ou em se matricular na academia, mas deixará tudo para um amanhã fictício.

Por outro lado, quem tem mentalidade empreendedora começa no mesmo instante e aplica as leis do *ganbatte* imediatamente.

Vejamos quais são elas:

1. FAÇA!
Se uma ideia ronda sua cabeça mais do que o normal, pare de ruminar e se jogue! O empreendedor sempre favorece a ação e se aventura em coisas novas, tomando a iniciativa. Faça agora, não espere o amanhã.

2. MESMO SEM EXPERIÊNCIA, COMECE! VOCÊ APRENDERÁ AO LONGO DO CAMINHO
Quando se começa algo novo, é normal não saber como se faz.

Por isso mesmo é novo. Talvez você pense que não está preparado, mas em algum momento muitos grandes empreendedores também não estavam: Steve Jobs não tinha experiência na criação de smartphones quando decidiu criar o primeiro iPhone, assim como Bill Gates não tinha experiência em criar sistemas operacionais, só para citar dois exemplos.

Todos deram um primeiro passo às cegas.

3. APRENDA COM OS ERROS
Não desanime se encontrar obstáculos no caminho. É natural cometer equívocos. Encare como algo benéfico: quanto mais erramos, mais experiência acumulamos. Os mais capazes são os que tiveram a valentia de errar mais vezes sem nunca desistir.

4. PERSEVERE, MAS SEJA FLEXÍVEL

A princípio, a perseverança vai levá-lo adiante, mas, quando notar que algo não está funcionando, mude ligeiramente sua estratégia.

Se depois de se corrigir e aprender a cada erro (terceira lei) você continuar sem resultados por mais que persevere, descarte o que não dá certo e comece outra vez.

5. FOQUE EM FAZER O MELHOR POSSÍVEL

Mesmo que você faça algo simples ou rudimentar, busque sempre a excelência.

6. VIVA RODEADO DE GENTE COM A MESMA VISÃO QUE VOCÊ

Quem o acompanha na viagem deve ter a mesma visão que você. Alguns seguirão juntos até o fim, outros irão embora.

Seja como for, aceite. Os que seguem a direção de sua bússola vital tenderão, naturalmente, a seguir pelo caminho a seu lado, pois vocês têm o mesmo destino.

7. NUNCA DEIXE DE APRENDER

Não permita que a arrogância o cegue.

Nunca deixe de aprender, por mais sucesso que tenha.

Seja curioso e mantenha a mente sempre aberta a ideias novas. Não há nada mais inspirador do que um grande mestre que faz perguntas ao aluno que mal começou.

8. TENHA PACIÊNCIA

Os melhores frutos da vida não chegam da noite para o dia.

Em geral, vêm mediante muito esforço e como resultado de tudo feito da melhor maneira possível.

9. MOSTRE SEU PROJETO AO MUNDO

Mesmo com vergonha, mostre sua criação ao mundo o mais cedo possível. Isso ajudará você a receber um feedback importantíssimo do público ou dos clientes.

10. ESCUTE SEU CORAÇÃO

Além de tudo e de todos, siga sua intuição.

É você quem mais conhece sua obra: sua criação, seu empreendimento. Em caso de dúvida, seu coração terá a resposta.

Esse caminho tem coração?
Se tiver, é um bom caminho; se não tiver, não presta.
Nenhum caminho leva a lugar nenhum, mas um tem coração, o outro não.
Um torna a viagem gostosa; enquanto o seguir, você estará unido a ele.
O outro fará você maldizer a própria vida.
Um fortalece quem o segue, o outro debilita.
— Carlos Castaneda

11

O SONHO DE JIRO
A perfeição do shokunin

As pessoas que não têm familiaridade com a cultura japonesa talvez se surpreendam ao saber que o melhor restaurante de sushi do mundo, o primeiro a obter três estrelas do guia Michelin, fica num lugar modesto no metrô de Tóquio. Mais especificamente na estação de Ginza.

O segredo para esse sucesso tem nome e sobrenome: Jiro Ono, que, no momento em que escrevo este capítulo, tem 94 anos. Destes, ele passou 87 na cozinha, onde trabalha até hoje.

Sua tenacidade e sua busca diária pela perfeição foram conhecidas pelo mundo inteiro em 2014, quando Barack Obama, convidado pelo primeiro-ministro Shinzo Abe a visitar esse restaurante de apenas 10 banquetas, declarou: "Nasci no Havaí e já comi muito sushi, mas esse é o melhor que já provei na vida."

Antes dessa célebre visita, Jiro Ono foi imortalizado no documentário de 2011 *Jiro Dreams of Sushi*, dirigido pelo americano David Gelb.

Durante 81 minutos, conhecemos a maneira de trabalhar desse mestre do sushi que é o exemplo supremo de aplicação do *ganbatte*. Em suas próprias palavras: "Faço a mesma coisa várias vezes, melhorando pouco a pouco. Dentro de mim, sempre há o anseio de conseguir mais. Vou continuar subindo, tentando chegar ao topo, mas ninguém sabe onde fica o topo."

É por causa dessa alta fixação na excelência que um ajudante de cozinha de Jiro Ono só consegue chegar ao nível de cozinheiro depois de se esforçar, dia após dia, durante 10 anos.

Fascinado com seu trabalho incansável como *shokunin* – mestre artesão – do sushi, o diretor do documentário descreve da seguinte maneira esse homem que se converteu em símbolo mundial da gastronomia:

> Em pé atrás do balcão, Jiro nota algumas coisas. Alguns clientes são canhotos; outros, destros. Ele determina o lugar onde se sentarão ao balcão. Depois de servir um sushi perfeito, observa como é comido. Ele conhece a história por trás desse pedaço de peixe. Sabe que, um pouco antes, seu pessoal massageou um polvo durante 45 minutos, e não 30, por exemplo.

Essa dedicação tem seu preço: os pratos custam em torno de 40 mil ienes (o equivalente a 375 dólares) e é uma proeza conseguir uma reserva.

Jiro Ono transmitiu aos filhos a filosofia do *ganbatte*. Um deles trabalha a seu lado há mais de 50 anos e está destinado a sucedê-lo numa tarefa de perfeição que ultrapassa a morte.

Esse artesão quase eterno revela o segredo para conseguir o sucesso e a realização pessoal:

> Depois de decidir sua ocupação [...] você deve mergulhar totalmente no trabalho. Tem que se apaixonar por seu trabalho. Nunca se queixe do que faz. É preciso dedicar a vida a aperfeiçoar sua habilidade. Esse é o segredo do sucesso e o mais importante para ser considerado uma pessoa honrada.

12

PARA SAIR DA CRISE

O significado do *ganbatte* vai além de uma simples palavra. Para os japoneses, *ganbatte* é visto como um espírito ou uma forma de atuar, sobretudo em épocas de crise.

Depois da guerra, o Japão usou o espírito do *ganbatte* para se erguer das ruínas. O governo, as associações e muitas empresas se utilizaram dele para animar uns aos outros. Assim, em apenas 30 anos, o país se tornou a segunda economia mundial (conseguiu essa medalha de prata em 1978) e, em muitos aspectos, liderou a revolução eletrônica e digital das décadas de 1980 e 1990.

Em 1995, depois que Kobe foi destruída por um terremoto, o lema mais popular em todo o Japão era *Ganbarō Kobe*. Essa forma de conjugar o verbo *ganbaru* indica que os habitantes de Kobe não estão sós: todos no país se unem no espírito *ganbatte* para incentivar sua recuperação depois da catástrofe. A tradução de *Ganbarō Kobe* é algo como: "Muito incentivo a Kobe por parte de todos. Juntos e com esforço sairemos dessa."

Mais tarde, em 2011, depois do grande terremoto e tsunami de Tohoku e da catástrofe nuclear de Fukushima, o lema nacional foi *Ganbaru*. Esse espírito uniu toda a população do país para ajudar os prejudicados.

Enquanto escrevo este livro, a covid-19 está levando o mundo inteiro a uma crise profunda. No Japão, *ganbatte* é uma palavra que vemos todos os dias na televisão e nas redes sociais. Atualmente, no entanto, esse espírito está não só aqui como no mundo inteiro. Ou pelo menos é o que parece.

Quando você estiver em crise, seja em nível pessoal ou profissional, ative o espírito do *ganbatte* dentro de si. Isso o ajudará a concentrar sua atenção no futuro e a ter a convicção de que, dando um pequeno passo por dia, sem pressa mas sem pausa, sempre haverá uma solução à vista e a possibilidade de criar um mundo melhor.

13

ESPERANÇA *KIBŌ*

Uma de minhas histórias favoritas da mitologia grega é a da caixa de Pandora.

Zeus estava muito irritado com Prometeu, que revelara o segredo do fogo aos seres humanos, por isso planejou vingança. Ele apresentou a Epimeteu, irmão de Prometeu, uma linda mulher chamada Pandora. Os dois se casaram. Por saber que a mulher era bastante curiosa, Zeus lhes deu de presente de núpcias uma caixa com a ordem de nunca ser aberta.

Ela, incapaz de resistir à tentação, abriu a caixa.

De dentro dela saíram todos os males possíveis, que invadiram para sempre o mundo dos mortais. Pandora apressou-se em fechá-la, mas viu que, no fundo da caixa, só restava Elpis, o espírito da esperança. Foi o último item a sair da caixa, e daí vem a expressão "A esperança é a última que morre".

Isso nos guiou no Japão desde o princípio de nossa história. Sempre limitados pelos recursos naturais de nossas ilhas e pela ameaça constante de terremotos e tsunamis, foi inevitável precisar enfrentar os males do mundo. No entanto, nunca perdemos o poder da esperança, ou *kibō* 希望.

Kibō é o nome que demos ao módulo japonês da Estação Espacial Internacional. É um módulo projetado para realizar experiências no espaço, construído pela JAXA (Agência Japonesa de Exploração Aeroespacial). Já está há mais de 25 anos em órbita, dando esperança à ciência e levando progresso à humanidade.

Quando me sinto abatido sempre vou ao jardim à noite para contemplar as estrelas. Fico pensando que, em algum lugar lá em cima, o módulo *kibō* está dando voltas sem parar em torno do planeta, alheio aos males que tem a seus pés.

Cada ser humano em algum momento vai fracassar, se equivocar ou ser acometido por algum mal inevitável. No entanto, a esperança é algo que ninguém jamais poderá tirar de nós e está à nossa disposição como guia, sempre que precisarmos. É essencial não abandoná-la.

Quando me sinto cansado, eu me perco no céu estrelado. Qual é seu pequeno ritual para encontrar a esperança no fundo de sua caixa?

14

O HOMEM QUE PLANTAVA ÁRVORES

Em 1953, o escritor francês Jean Giono publicou um conto que contém a essência do *ganbatte*. Muitos leitores acreditaram que a história de Elzéard Bouffier, pastor protagonista de *O homem que plantava árvores*, era real. O autor, no entanto, se encarregou de desmentir isso quatro anos depois, numa carta à prefeitura de Digne.

Isso não tira o valor do relato, que ilustra como a utopia pode se transformar em realidade quando implementada com esforço constante ao longo do tempo.

A narrativa começa em 1910, quando um jovem desbravava a natureza da Provença até chegar a um vale desolado, sem nenhuma árvore, onde só cresce lavanda silvestre. Depois de passar pelas ruínas de uma antiga aldeia, ele chega a um riacho seco. Ali conhece um pastor que o leva a uma fonte para que se refresque.

O jovem excursionista quer saber por que aquele homem de meia-idade mora num lugar tão abandonado e sem vida. Elzéard Bouffier, o pastor, conta-lhe sua história.

Depois de se tornar viúvo, decidiu converter aquele lugar seco e em ruínas em um vale coberto de bosques frondosos. Para isso, conta apenas com as próprias mãos e um bastão com o qual abre buracos no chão. Deixa cair em cada um as bolotas que conseguiu reunir.

Impressionado com aquele trabalho utópico e solitário, o excursionista se despede do pastor e volta ao lar.

Traumatizado depois de lutar na Primeira Guerra Mundial, o jovem narrador (identificado como Jean Giono) decide regressar em 1920 ao mesmo lugar onde tivera aquela conversa agradável.

Para sua surpresa, a terra antes ressecada está cheia de árvores jovens que lançam raízes entre pequenos riachos que voltam a umedecer o solo. Impressionado com a mudança, a partir de então ele passa a visitar o antigo pastor todo ano.

Ele deixara de pastorear ovelhas porque elas comiam os brotos jovens. Agora é apicultor.

No decorrer de mais de 40 anos, Elzéard Bouffier continuou plantando árvores, de buraco em buraco, dia após dia, até converter o vale deserto num bosque maravilhoso e cheio de vida.

Mais de 10 mil pessoas se mudam para lá, atraídas pela beleza da paisagem, sem saber do trabalho constante e secreto de Bouffier. Seu amigo explica às autoridades aquele milagre e consegue que o bosque seja protegido.

A história termina em 1945, quando o narrador visita pela última vez o homem que plantava árvores. O ex-pastor morreria dois anos depois, após transformar o vale e dar sentido à própria vida.

Esse conto é uma bela demonstração do impacto que uma só pessoa pode ter no mundo quando aplica o *ganbatte*.

15

A GATA TAMA

Minha gata se chama Tama. Não há nenhuma razão especial para eu ter escolhido esse nome. Simplesmente é um dos nomes de gato mais comuns no Japão. É fácil de pronunciar e recordar.

Dentre os milhões de gatos (machos e fêmeas) com esse nome em meu país, a mais famosa é a que foi chefe da estação de trem de Kishi, em Kinogawa, de 2007 até seu falecimento, em 2015.

Tudo começou em 2006, quando a linha de trem de Kishigawa, na prefeitura de Wakayama, transportava tão poucos passageiros que não poderia continuar funcionando. Por falta de recursos, a ferrovia decidiu que cancelaria a linha e fecharia todas as estações.

Contudo, os moradores dos povoados afetados não aceitaram a decisão da empresa e decidiram cuidar das estações de forma voluntária. Dessa forma, a linha pôde continuar em operação.

No caso da estação de Kishi, os moradores propuseram que sua responsável fosse uma gata chamada Tama.

A empresa ferroviária aceitou e chegou a fazer um contrato com a gata, assinado pela felina com a impressão de sua pata. Em troca de ficar na guarita da estação vestida com o gorro oficial, a gata Tama recebia ração. Seus ajudantes, como não podia deixar de ser, eram dois gatos: Chibi e Miiko.

Licença Creative Commons. Fotógrafo: Sanpei

Desde que a gata Tama foi nomeada chefe da estação, a quantidade de passageiros da linha aumentou mais de 10%, ajudando tanto a receita da empresa ferroviária quanto o turismo da região. Isso levou os diretores a nomeá-la presidente honorária, e, depois de alguns anos, reformaram a estação com um projeto em que o teto e as janelas lembravam olhos de gato.

Quando a gata Tama faleceu, em 2015, mais de 3 mil pessoas compareceram ao funeral, e perto da estação foi construído um santuário xintoísta para venerá-la como se fosse uma *kami* (divindade).

Depois de sua morte, as chefes passaram a ser as gatas Nitama, Sun-tama-tama e, em 2020, Yontama.

Antes do início desse fenômeno, a empresa quis jogar a toalha cedo demais. Por sua vez, os moradores acreditaram no poder do *ganbatte* e encontraram uma solução fora do comum que se mostrou salvadora: empregar uma gata em vez de um ser humano para vigiar uma estação de trem.

Todos já passamos por situações na vida em que ficamos atolados e decidimos desistir por acharmos que não havia saída. Isso costuma acontecer quando o estresse nos cega e esquecemos nossa capacidade criativa para buscar soluções.

Nunca desista. Talvez, com um pouco mais de *ganbatte* e imaginação, surja uma solução maravilhosa.

16

GANBATTE E WABI SABI

Esse conceito está muito ligado à arte japonesa e dediquei a ele meu livro anterior, *Wabi Sabi para a vida cotidiana*, no qual expliquei que "a beleza da imperfeição", como se costuma traduzir, vai muito além de um ideal estético.

Resumindo, o *Wabi Sabi* é uma simulação da natureza, na qual...

1. nada é perfeito.
2. nada está completo.
3. nada é para sempre.

O segundo ponto está estreitamente ligado ao conceito de *ganbatte*, pois quem pensa que seu trabalho (uma obra, uma profissão, a própria evolução humana) está finalizado sofre de complacência e, sem dúvida, de preguiça.

No fim da vida, Buda disse: "Estou sempre começando." Com isso quis exprimir que o propósito de aprender e se aperfeiçoar nunca termina. Na verdade, não há nada que um dia termine, porque tudo, tal como a natureza, está em mudança e progresso constantes, e isso nos dá um campo ilimitado de melhoria, um espaço para levar a cabo as olimpíadas do esforço.

Isso é válido quando se trata do campo das artes (um mestre como Leonardo da Vinci, por exemplo, disse que "a obra nunca termina, só é abandonada"), mas também da evolução de qualquer pessoa.

Sobre isso, há um conto muito curto do escritor alemão Bertolt Brecht em *Geschichten vom Herrn Keuner* que dá o que pensar. Em tradução livre, chama-se "O reencontro".

> Um homem que o Sr. K não encontrava havia muito o saudou com as palavras:
> – O senhor não mudou nada.
> – Oh! – exclamou o Sr. K., empalidecendo.

Esse "Oh!" exprime a dor diante da falta de *ganbatte*, pois o fato de não ter mudado significa que não houve esforço para progredir. Talvez o homem que fez o comentário tenha se referido ao seu aspecto externo, mas o Sr. K. interpreta que se mostra estagnado, que viveu sem *ganbatte*.

O *Wabi Sabi* diz que todo ser humano nasce imperfeito e nunca se tornará completo, porque a vida é provisória. Ao longo da existência, porém, temos a oportunidade de progredir momento a momento, assim como a flor humilde surge no meio do musgo para presentear o mundo com sua cor, mesmo que só por um dia.

17

YAYOI KUSAMA

Abóbora gigante de Yayoi Kusama
na praia de Naoshima

Há vários fatores que dependem de sorte no momento de nascer: o lugar e a sociedade, a saúde, a genética e a família.

No entanto, as histórias que mais nos fascinam não são as de quem nasceu num ambiente favorável e teve tudo ao alcance desde o início. Tendemos a exaltar a história de quem nasceu com muitas desvantagens, mas soube crescer na vida, ensinando aos outros que tudo é possível e que, quando enfrentamos adversidades, não há espaço para desculpas.

Essas pessoas são as que fazem do *ganbatte* o eixo da vida.

Yayoi Kusama é uma de minhas artistas favoritas, não só pela beleza e pela inovação de suas obras. Ela vê a arte como uma forma de viver, como uma válvula de escape para os grandes problemas da vida. Ela mesma confessou: "Se não fosse a arte, eu teria cometido suicídio há muito tempo."

Ela nasceu em Matsumoto (Nagano), em 1929, numa família com muito dinheiro e pouco amor. Começou a pintar e a escrever poesias ainda menina, mas a mãe, em vez de incentivá-la, a maltratava física e psicologicamente. Para piorar, o pai estava sempre ausente, envolvido em casos extraconjugais que não eram segredo nem para a mãe nem para a filha.

Quando completou 10 anos, Yayoi começou a ter alucinações e visões em que o mundo se enchia de flores e pontos coloridos. Foi o princípio da esquizofrenia que a acompanharia pelo resto da vida. Além disso, ela passou os primeiros anos da enfermidade trabalhando numa fábrica militar, costurando paraquedas para o exército japonês.

Terminada a guerra, sua dor resultou em muita criatividade. Com apenas 21 anos, começou a expor sua arte, abstrata desde o início, em galerias de Matsumoto e Tóquio. Ela pintava em qualquer lugar: quadros, paredes, chão, objetos da casa... Tudo servia de base para ela.

Um tema recorrente dessa artista são as bolas de diversos tamanhos e cores. Quando os críticos de arte lhe perguntavam, ela não descrevia as bolas como pontos ou círculos, mas como *redes infinitas*. É assim que Yayoi Kusama vê a realidade quando está tendo alucinações:

> Eu estava numa sala coberta por desenhos de flores, olhei para baixo e vi que minhas mãos, meus braços e a casa toda estavam cobertos pelo mesmo padrão. Minha identidade foi dominada por um padrão repetitivo, infinito.

Com 27 anos, ela se mudou para os Estados Unidos, onde colaborou e estudou com artistas norte-americanos. Logo ficou internacionalmente famosa e, em 1969, expôs no MOMA, em Nova York. Com o tempo, no entanto, os problemas de saúde se agravaram. Em 1977, ela decidiu voltar ao Japão e se internar voluntariamente num hospital psiquiátrico em Shinjuku (Tóquio). É onde mora desde então, sem deixar de produzir arte todos os dias. Hoje, aos 91 anos, ela não se permite um dia de descanso e continua criando num estúdio ao lado do hospital.

Recordo a perfeição de meu primeiro encontro com uma obra sua: foi na ilha de Naoshima. Eu passeava pela praia ao entardecer e vi uma abóbora amarela com círculos pretos, uma imagem que me deixou igualmente impressionado e curioso. Eu me senti impelido a investigar a mente que havia criado aquela obra.

Mais tarde, visitei a exposição permanente no Museu de Arte da Cidade de Matsumoto, cuja entrada está adornada por suas flores gigantes. Também passei dias memoráveis em suas exposições no Museu de Arte Moderna de Karuizawa e no Centro Nacional de Arte de Tóquio, que mantém sua exposição como porta de entrada para todas as obras que há em seu interior.

Adoro me deixar levar pelos mundos criados por essa artista que nunca teve uma vida fácil. Minha última visita a seus universos de bolinhas e flores multicoloridas foi em 2018, no novo museu do bairro de Shinjuku, em Tóquio, que leva seu nome: Museu Yayoi Kusama.

Ao sair de lá, pensei na doença mental que ela precisa enfrentar todos os dias, na família que a maltratou desde menina, na solidão vivida durante a guerra... Apesar de todas essas desvantagens e graças ao *ganbatte* à prova de bombas, ela nunca desistiu e criou mundos inimagináveis que marcaram um novo estilo da arte japonesa, até se converter num expoente da comunidade artística internacional.

A história de Yayoi Kusama demonstra que as crises da vida devem ser encaradas como oportunidades. E que o que consideramos desvantagens em relação aos outros, que nos deixa com a sensação de ser um patinho feio, pode ser justamente o que nos diferencia e nos torna únicos.

18

AS DUAS LEIS DO *MANEKI NEKO*

O movimento incansável do gato da sorte é uma representação popular do *ganbatte*. Quando levanta a pata esquerda, ele convida a entrar num negócio; quando agita a direita, atrai dinheiro e fortuna. Além disso, ele usa no pescoço uma cascavel que afugenta os maus espíritos.

Neko é "gato" em japonês, e *maneki* vem do verbo *maneku*, que significa "convidar a entrar". Por isso, *maneki neko* pode se traduzir como "o gato que convida a entrar".

Acredita-se que a origem dessa figura está numa história do período Edo (1603-1868). Um gato chamado Tama, como a minha, ficava sempre na entrada de um templo a oeste de Tóquio, construído diante de uma grande árvore.

Num dia de tempestade, um viajante correu para se refugiar embaixo da árvore. Da entrada do templo, Tama começou a fazer gestos constantes com a pata. O homem estranhou aqueles sinais feitos por um gato, abandonou seu refúgio e se aproximou do animal. Bem nessa hora, um raio colossal carbonizou a árvore e tudo o que havia ao seu redor.

Agradecido ao gato que acabara de lhe salvar a vida, o viajante decidiu ser benfeitor vitalício do templo.

Há outra história sobre a origem do *maneki neko* que tem como protagonista uma mulher chamada Imada. Ela era tão pobre que precisou abandonar seu amigo felino por não poder alimentá-lo.

Certa noite, o gato reapareceu em seus sonhos e pediu que fizesse sua imagem em argila. Isso lhe daria a sorte que até então não tivera. A pobre mulher levou o sonho a sério e modelou com as próprias mãos a figura do gato com a pata levantada. Ao vê-la, um passante insistiu em comprá-la, e isso a convenceu de que a profecia do sonho estava correta.

Desde então, Imada passou a fabricar imagens do *maneki neko* e nunca mais passou fome.

Essa segunda história é menos poética do que a primeira, mas, de qualquer modo, o *maneki neko* ilustra a moderna lei da atração.

Muita gente nunca consegue obter o que deseja porque nem se atreve a pedir, como faz o gato ao convidar de forma evidente o dinheiro ou os visitantes.

A fonte original da lei da atração estaria, segundo os especialistas, numa das sete leis do *Caibalion* formuladas pelo misterioso Hermes Trimegisto. É a chamada lei do mentalismo, que defende que tudo no Universo é uma criação mental e que o ser humano, por meio do pensamento, pode criar a própria realidade.

Para ativar a lei da atração, os mestres atuais recomendam quatro passos:

1. Examine o que você quer e peça ao Universo.
2. Concentre seus pensamentos no que deseja, com sentimentos de entusiasmo e gratidão.
3. Comporte-se como se já tivesse obtido o que deseja.
4. Abra-se a receber.

Talvez esse quarto ponto seja o mais importante. Muita gente passa a vida repleta de carências (de amor, dinheiro, sucesso...) por não estar aberta a receber. No fundo, essas pessoas não se acham merecedoras daquilo que desejam.

O *maneki neko* ensina que é honrado pedir com insistência o que se deseja. Até o evangelho de Mateus diz: "Peçam, e lhes será dado; busquem, e encontrarão; batam, e a porta lhes será aberta" (7:7-11).

Portanto, a primeira lei do *maneki neko* é se predispor a receber. A segunda é ser constante, ter o *ganbatte*.

Como diz um provérbio árabe: "Quem bate repetidas vezes acaba entrando."

19
O MÚSCULO MAIS IMPORTANTE

Quando visualizamos um escultor, um pianista, um poeta ou qualquer outra pessoa que se dedique à arte, pensamos em alguém que segue a própria inspiração. No entanto, Picasso dizia que "a inspiração existe, mas ela precisa nos encontrar trabalhando".

Sem *ganbatte*, qualquer projeto fica confinado ao limite das ideias e das boas intenções. O *ganbatte* é o combustível que alimenta o talento e permite que ele se desenvolva.

Eu me lembro da primeira vez que me propus a escrever um livro. Foi uma obra que eu não quis publicar, mas para mim foi muito importante terminá-la. Graças àquele esforço, por meio do qual provei a mim mesmo que conseguia concluir um projeto literário, hoje este livro está em suas mãos.

Decidi escrevê-lo de próprio punho, com caneta-tinteiro, num caderno grosso, e escolhi um horário fixo para cumprir minha tarefa. Como naquela época eu dava aulas pela manhã e no fim da tarde, decidi que todos os dias, das 14h30 às 16h30, dedicaria toda a minha atenção ao meu propósito.

Durante esse período, eu me sentava à mesa da cozinha com uma chaleira fumegante cheia de *senchá*. Fazia isso com ou sem vontade de escrever, pois redigir um livro de mais de 100 páginas é como correr uma maratona. É uma prova de resistência. O que importa não é o impulso com que se começa o caminho, mas manter a marcha e não desistir antes do fim.

Às vezes meu corpo se rebelava contra meu propósito de me sentar durante duas horas à mesa da cozinha diante daquele caderno. Algumas vezes o clima estava convidativo e eu ficava com vontade de passear ou de me sentar a uma mesa de bar com um amigo. Ou talvez eu tivesse dormido pouco, e o corpo me empurrava para um cochilo. Não importava. O *ganbatte* estava além dessas tentações, e todos os dias, à hora marcada, eu me sentava à mesa. Dizem que o principal músculo que o escritor deve treinar são os glúteos.

No começo, muitas vezes não acontecia nada. Enquanto levava a xícara de chá aos lábios, eu encarava a folha em branco e um instante depois desviava o olhar para a janela, por onde passava uma nuvem. Como eu me mantinha decidido a não sair dali, finalmente voltava ao meu caderno.

Com a caneta na mão, relia o que tinha escrito no dia anterior e, ainda com certa preguiça, começava a rabiscar as primeiras linhas do dia. A princípio, pouco convicto. O corpo continuava reclamando e, às vezes, esse impulso interior para fugir dali podia durar meia hora ou mais. No entanto, em algum momento acontecia algo maravilhoso.

Como Buda meditando à sombra da figueira, eu mergulhava totalmente na escrita, sem me dar conta, como quem cai dentro de um sonho.

Então as palavras e as frases fluíam por si sós, e eu era um mero veículo da escrita. Já não estava na cozinha, mas na paisagem que narrava. O tempo também não existia. Se a aula começasse apenas às seis da tarde, eu só percebia que tinha escrito mais de uma hora além do previsto quando soava o alarme.

O tempo passava como um suspiro, e eu tinha mais quatro ou cinco páginas preenchidas em meu caderno. Ficava orgulhoso e feliz, com vontade de continuar escrevendo.

Hoje posso dizer que o *ganbatte* me tornou escritor.

20

AS 10 LEIS DO *GANBATTE* PARA OS ESCRITORES

1. SINTONIZE-SE
O mundo está cheio de histórias que esperam para ser contadas. Preste atenção no que acontece em volta, no que lhe contam, no que sonhou, no que viveu. Treine seu olhar de escritor.

2. REGISTRE SUA IDEIA
Se não anotá-la, você a perderá.
Escreva em seu caderno ou em um arquivo especial tudo o que lhe aconteceu e continue investigando.
Quando tiver material suficiente, organize-o pouco a pouco e acabará com o roteiro do próximo livro.

3. VISUALIZE O LIVRO PUBLICADO
Para ajudar a dar o tom adequado, imagine sua obra na livraria, com o título e a editora impressos na capa. Quando começar a escrever, trabalhe como se fosse um livro real escrito para essa coleção.

4. ESTABELEÇA UM OBJETIVO SEMANAL

Uma página por dia, um capítulo por semana. Qualquer que seja seu compromisso, deve ser concreto e indicar uma meta.

Se você não especificar um prazo, o projeto não terá força.

5. TENHA TESTEMUNHAS

Um ou dois amigos leitores podem acompanhar seu avanço e, ao longo do caminho, recordar seu compromisso consigo mesmo.

Além disso, eles podem dar feedback sobre o que está bom ou ruim e como melhorar.

6. TREINE OS GLÚTEOS

Segundo o publicitário e escritor Gabriel García de Oro, o principal músculo que o escritor deve treinar são os glúteos.

Estabeleça um horário fixo para a escrita e cumpra-o sem tirar os glúteos da cadeira, ainda que dê vontade de fazer outra coisa.

7. AVANCE EM VEZ DE CORRIGIR

Para evitar a "paralisia por análise", no primeiro rascunho não faça mais do que uma revisão.

Hoje você pode reler o que escreveu ontem, e amanhã revisar o que fez hoje antes de continuar escrevendo, mas não volte atrás.

Avance até o fim, mesmo que o texto esteja imperfeito. Você terá tempo de aprimorar o material todo de uma vez depois que terminar o livro.

8. PROCURE UM BOM REVISOR

Depois de sua revisão final, quando der a obra por terminada, invista num profissional de revisão que faça as últimas correções e dê sugestões para melhorar o texto.

Isso pode fazer a diferença entre um livro publicável e um livro de amador.

9. EXPLORE TODOS OS CAMINHOS

Este é o momento de mandar o livro para concursos, agentes literários, editoras (envie antes uma mensagem com uma sinopse e pergunte se estão interessados em ler) ou a pessoas que você conheça e que tenham relação com o setor.

10. MOSTRE SUA OBRA AO MUNDO

Se não conseguiu uma editora, não desanime. Não deixe o livro na gaveta; converta-se em seu próprio editor.

Há plataformas como a Amazon que, gratuitamente, lhe permitem oferecer sua obra ao mundo e até ganhar dinheiro com ela.

Nota: Há best-sellers que começaram dessa forma – ou no blog do autor – e que, depois de conseguirem muitos leitores, foram publicados por grandes editoras.

21

SHUHARI: A MAESTRIA DOS *TAKUMIS*

Shuhari é uma palavra que tem origem nas artes marciais, no teatro Nô, na tradicional cerimônia do chá japonesa e nas artes em geral. Muito mais do que isso, é toda uma filosofia condensada em três caracteres que nos guiam no processo de aprender, gerar ideias e ativar nossa criatividade. Trata-se de uma ferramenta muito poderosa para que uma pessoa se torne mestre em qualquer área.

Para explicar o *shuhari*, gosto de relacionar cada caractere a um círculo. A estrutura em círculos indica que temos que começar em SHU e só podemos passar a HA quando terminarmos o círculo do meio. O mesmo acontece com o círculo exterior; temos que completar os interiores antes de chegar a RI.

Os verdadeiros mestres de uma disciplina são os que estão no círculo RI e contêm tudo o que há nos círculos anteriores.

```
        ┌─────────────────┐
        │   ┌─────────┐   │
        │   │ ┌─────┐ │   │
        │   │ │ SHU │ │   │
        │   │ │Fund.│ │   │
        │   │ └─────┘ │   │
        │   │   HA    │   │
        │   │ Explorar│   │
        │   └─────────┘   │
        │       RI        │
        │   Transcender   │
        └─────────────────┘
```

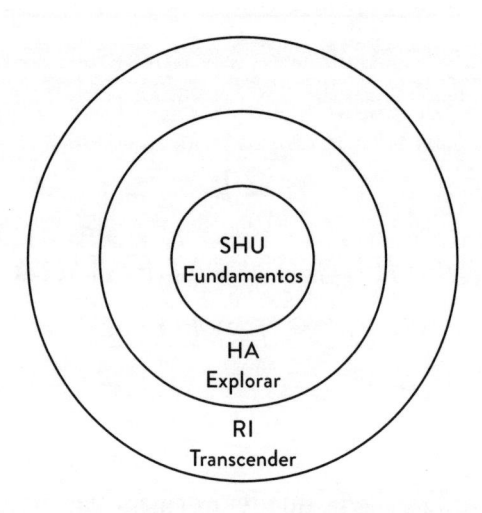

Círculo SHU 守: significa "proteger" ou "obedecer". Nesse contexto, quer dizer que o primeiro e mais importante passo é aprender o tradicional, ou seja, os fundamentos de uma arte ou disciplina.

Círculo HA 破: significa "divagar" ou "explorar". Depois de dominar o fundamental, devemos romper com a tradição e explorar com liberdade. Aí, sim, podemos questionar os fundamentos.

Círculo RI 離: significa "ir embora" ou "separar-se". É o passo da transcendência para algo mais além, da criação de algo novo, que não existia. Acontece quando o artista e a arte que ele cria se fundem. Essa transcendência nos fará descobrir novos lugares além do ego.

A estrutura em círculos concêntricos é um processo em

que vamos integrando cada experiência a nosso interior, sem esquecer as anteriores. Crescemos pouco a pouco.

Os círculos lembram que, ainda que já sejamos grandes mestres e estejamos na fase RI, não podemos esquecer de explorar novas ideias com o HA e os fundamentos com o SHU. Todos os grandes mestres integram os três círculos de forma harmônica.

Vejamos como aplicar o *shuhari* à fotografia, por exemplo:

- **SHU:** aprendemos o uso da câmera, os fundamentos do bom enquadramento, os efeitos da luz sobre o objeto fotografado, o poder de certas cores e outros detalhes para compor uma boa foto. Depois de dominar todos esses conceitos, temos que repetir o processo durante meses e anos até acumular a experiência de milhares de fotos.
- **HA:** quando aprendemos a fotografar, percebemos que nossas fotos são boas, mas não muito diferentes das de qualquer outro fotógrafo competente. É nesse momento que podemos começar a questionar certos conceitos. O que pode acontecer se, em vez de seguir estritamente os fundamentos da composição, experimentarmos ideias próprias?
- **RI:** somos capazes de criar nosso próprio estilo de fotografia. Ao ver nossas fotos misturadas às de outros artistas, as pessoas conseguem distingui-las de imediato. Tiramos fotos quase sem pensar. Nossa consciência, nosso ego, a câmera, o ambiente e o sujeito

fotografado parecem se unir de forma mágica. Tomando o mundo da música como exemplo, a interpretação da mesma música por Glenn Gould ou Lang Lang é totalmente diferente. Cada um deles criou um estilo próprio e inconfundível, que permite ao público reconhecê-los na hora.

Quando vemos artistas consagrados, às vezes temos a impressão de que se tornaram grandes mestres num passe de mágica e queremos ser como eles. Mas, quando estudamos a vida deles, notamos que integraram os três círculos, começando pelo SHU. Os primeiros esboços a lápis de Picasso estão cheios de correções, não se percebe qualquer intenção de romper com os fundamentos do desenho. Só depois de anos aprendendo a desenhar foi que ele se atreveu a inovar e praticamente criou um estilo de arte.

Quantas vezes você já notou que, antes de dominar os fundamentos, já quis passar para outra coisa que lhe pareceu mais atraente? Quando identificamos um mestre, ficamos tentados a pular o processo de aprendizagem para tentar ser logo como ele. Mas isso não costuma dar certo. Cada círculo inclui o anterior. Não se pode entrar em HA (experimentar ideias próprias, desafiar as normas da disciplina) sem completar o círculo SHU. Só teremos êxito se dominarmos os fundamentos do SHU.

Quando meus alunos de piano tentam aprender a tocar uma peça que está acima de seu nível técnico, o efeito costuma ser contrário: eles tendem a ficar desmotivados. Há um equilíbrio delicado entre o nível de dificuldade e quanto nos sentimos felizes na hora de empreender determinada atividade.

O conceito de estado flow (ou de fluxo), de estar plenamente presente na atividade que praticamos, explora com mais profundidade esse equilíbrio. A pessoa que, ao praticar uma atividade, entra em estado de flow, está no círculo do *shuhari* adequado à própria competência. Se estiver fora do flow, ela não estará no círculo que corresponde ao próprio nível.

A melhor forma de aplicar o *shuhari* é ter um mestre que sirva de guia e ajude a desenvolver círculos. Esse é o *modus operandi* de qualquer arte marcial – assim como a inspiração para filmes como Star Wars. No círculo SHU, é preciso seguir ao pé da letra o que nos ensina o *sensei*, o mentor ou o mestre jedi. Quando passamos para o círculo HA, podemos desafiar o mestre. Finalmente, no RI o aluno supera o mestre.

O mais importante é que, ao integrar os três círculos em seu interior, ao superar o mestre, você será uma pessoa totalmente diferente daquela que começou sem nenhum conhecimento. O *shuhari* não é uma mera ferramenta para criar arte e aprender; é também um guia para nos conduzir no caminho da autotransformação.

Pontos fundamentais do *shuhari*:

- Para aprender qualquer coisa, devemos sempre começar pelo círculo interior dos fundamentos, o SHU. Repita os fundamentos quantas vezes forem necessárias, tenha paciência, use o *ganbatte* para resistir à tentação de avançar depressa demais. Não é bom pular etapas.

- Quando saímos do círculo com muita rapidez, sentimos não o flow, mas frustração. Em vez de nos fazer avançar em nosso projeto de aprendizagem, isso pode atrasar nossa evolução.
- Devemos ter consciência de nosso nível e não nos frustrar ao ver que outras pessoas sabem mais do que nós. É importante saber que mesmo os grandes mestres tiveram que passar por todos os círculos do *shuhari*.

22

AS EMPRESAS MAIS DURADOURAS DO MUNDO

Em 2008, o Banco da Coreia elaborou uma lista de empresas do mundo inteiro fundadas havia mais de 200 anos e que continuam funcionando de forma independente até hoje. No total, foram identificadas 5.586 empresas, das quais 3.146 (56%) são japonesas.

O Japão, portanto, é o país que mais cria organizações resilientes, capazes de sobreviver ao passar dos séculos. Em segundo lugar ficou a Alemanha, com 837 (15%) empresas na lista.

O que os negócios japoneses, alemães e do resto do mundo têm em comum para não terem sido destruídos pelo tempo?

A maioria das empresas é familiar, nas quais o conhecimento para administrar o negócio é passado de geração em geração. Mesmo diante do efeito destrutivo de guerras e desastres naturais, se o conhecimento e a motivação familiar perduram, a empresa não morre. O *ganbatte* a faz prosseguir no mar bravio da história.

Outra característica das empresas mais duradouras do mundo é que tendem a ser de setores que não sofreram grandes transformações ao longo do tempo, como hotéis, construção civil, vinhedos e destilarias. Os fundamentos continuam os mesmos, e os negócios que perduram sabem manter o foco no mais importante e aperfeiçoar detalhes para se adaptar aos tempos atuais.

Por exemplo, o Nishiyama Onsen Keiunkan é um hotel japonês fundado em 705 na prefeitura de Yamanashi. Continua funcionando até hoje (em 2022) e é considerado a empresa mais antiga do mundo.

São 37 quartos, e o hotel se adaptou aos novos tempos, disponibilizando inclusive conexão wi-fi. Mas o segredo do sucesso continua o de 1.315 anos atrás: banhos em águas termais que nascem na encosta da montanha onde está situado. Essas águas termais sempre foram famosas por seu poder curativo, e dizem que o hotel foi visitado por personagens históricos como Shingen Takeda (1521-1573) e Ieyasu Tokugawa (1543-1616). A empresa tem muita clareza ao responder a uma pergunta cuja resposta, embora pareça óbvia, não deixa de ser importante: apesar das melhorias e da modernização evidentes, o que torna o Nishiyama Onsen Keiunkan especial: a conexão wi-fi ou os banhos em águas vulcânicas?

Se você tiver um negócio ou projeto importante na vida, pergunte-se: qual é o fator que não mudará daqui a um, dois ou até 10 e 20 anos?

Tenha sempre em mente os fundamentos de seu projeto.

Eles ajudarão você a se manter centrado sem se distrair com novidades que talvez sejam passageiras.

Por exemplo, o setor editorial vem sofrendo grandes transformações nas últimas décadas. Eu poderia me estressar tentando responder às perguntas: devo publicar só em formato digital? Devo fazer versões especiais só para meus seguidores na internet? Devo buscar maneiras de publicar de forma independente? Todos os questionamentos são válidos, e é bom tomar providências para melhorar, mas que pergunta fundamental devo fazer a mim mesmo como escritor, aconteça o que acontecer, agora ou daqui a 20 ou 30 anos?

No caso do Nishiyama Onsen Keiunkan, as águas termais foram o segredo para o triunfo. A pergunta que devo fazer para identificar o cerne de minha paixão na vida é: estou escrevendo o melhor possível, dentro de minha capacidade, para que, quando vocês, meus leitores, me lerem, eu acrescente algo positivo à sua vida?

Pense agora na sua vida, paixão ou profissão. Qual é o valor fundamental e permanente do que está fazendo?

23
O MÉTODO *KAIZEN*

Kaizen é uma palavra japonesa formada pela união dos caracteres *kai* ("mudança") e *zen* ("bom"). Significa "mudança para melhor", embora em geral seja traduzida como "melhora contínua".

A melhora contínua do *kaizen* é bem concentrada no processo, enquanto no Ocidente o mais comum é se fixar nos resultados.

A mudança incremental que inspira esse conceito pode se resumir na seguinte frase: "Hoje melhor do que ontem, amanhã melhor do que hoje." Para os japoneses, *kaizen* é uma filosofia de vida e uma maneira de enfrentar os problemas diários.

No livro *Kaizen*, o consultor Masaaki Imai explicou esse conceito:

> Melhora contínua, mas melhora todos os dias, a cada momento, realizada por todos os funcionários da empresa, em qualquer lugar. E que vai de pequenas melhoras incrementais a inovações drásticas e radicais.

A empresa automobilística Toyota é um dos grandes estandartes da filosofia *kaizen* e a promove como eixo central de sua produção e seus valores: "Melhoramos nossas operações continuamente, sempre impulsionando a inovação e a evolução."

Como a empresa aplicou esse método para fabricar os carros com menos defeitos do mundo?

A primeira coisa que a Toyota fez foi eliminar todo o supérfluo (*muda*, em japonês), definido pela empresa como "qualquer coisa que não seja o mínimo de equipamento, material, componentes e tempo de trabalho absolutamente essenciais para a produção".

No entanto, o fundamental desse sistema é o chamado 5S, um conjunto de princípios que podemos aplicar à vida pessoal para sermos mais eficazes:

- *Seiri* ("classificação"). A classificação correta de todos os objetos existentes no local de trabalho permite que os funcionários se desfaçam do desnecessário.
- *Seiton* ("ordem"). Quando temos os objetos necessários, ordená-los é o passo seguinte para obter organização.
- *Seiso* ("limpeza"). Todos os trabalhadores se encarregam de manter o local de trabalho limpo quando terminam a jornada, e com isso a clareza e a segurança melhoram.
- *Seiketsu* ("padronização"). Com normas, rotinas e controles, o processo de trabalho é sistematizado. Os passos do 5S se transformam em hábitos.

- *Shitsuke* ("disciplina"). É preciso ter disciplina para seguir esses passos de forma ordenada.

A esses cinco valores podemos acrescentar outros dois que a Toyota incorporou ao seu ideário:

- Desafio: Predomina a visão de longo prazo, além dos limites habituais e da zona de conforto. Trabalhar "enfrentando os desafios com coragem e criatividade para tornar os sonhos realidade".
- *Genchi Genbutsu:* significa "lugar real", "objeto real". Caso surja algum problema, a melhor maneira de resolvê-lo é ir ao seu lugar de origem e observar. Qualquer melhoria de um processo deve se basear na observação, não em documentos ou informações de terceiros.

A filosofia *kaizen* é uma excelente maneira de dar sentido e método ao nosso esforço, qualquer que seja a área em que buscamos excelência.

24

MEDITAÇÃO: VER AS NUVENS PASSAREM

É bastante conhecida a constante concentração dos monges zen, precisos em cada movimento. A dedicação e a atenção plena são aplicadas não apenas no *zendô*, a sala de meditação onde praticam o *zazen* (a meditação sentada), mas em todos os aspectos do cotidiano.

O monge que lava uma batata na cozinha faz dessa batata seu universo inteiro. Enquanto a leve corrente de água limpa as impurezas da casca, não há outra coisa que capte seus sentidos, e esse ato humilde se converte no mais importante do mundo.

O monge medita nesses atos cotidianos pois só faz uma coisa de cada vez, com toda a sua atenção e todo o seu coração. Em outras palavras, ele leva o espírito do *zazen* a todos os âmbitos do dia a dia.

Essa disciplina não encontra lugar quando se vive perdido na distração e na multitarefa. A mente se acostuma a pular de galho em galho, como um pássaro inquieto. No zen, ela também é chamada de "mente macaco".

Para acalmá-la, pode-se começar praticando a respiração básica. Não é preciso sequer se sentar na posição de lótus, como Buda, cujo momento fundamental de seu esforço veremos no próximo capítulo. Você pode se sentar numa cadeira de encosto reto ou mesmo se deitar na cama, se não houver o risco de dormir.

O exercício é simples, mas exige atenção.

E essa atenção se concentrará exclusivamente no ar que entra e sai pelas narinas enquanto você respira de forma lenta, ampla e suave, até ouvir o ar enchendo seus pulmões e levantando suas clavículas, e logo depois saindo até você se esvaziar.

Concentrar-se apenas na própria respiração, como o monge para quem só existe a batata que ele está lavando, servirá para libertar você de outros pensamentos que atuam como interferências quando se quer escutar a emissora do silêncio.

Seu próprio silêncio.

De vez em quando, sobretudo no início, aparecerão ideias. Não as afugente. Também não se apegue a elas. Se você avaliar o pensamento como "bom" ou "mau", já estará fora da meditação.

Apenas observe os pensamentos que fluem através da tela mental, como nuvens que passam por um céu azul.

Rotule cada interferência como "pensamento" e deixe-a passar. Volte à respiração.

As nuvens não são sua essência. Sua essência é o céu azul imperturbável pelo qual as nuvens passam e logo se vão.

25

BUDA EMBAIXO DA ÁRVORE

A história de Sidarta Gautama é bem conhecida. Ele deixou a família abastada e os prazeres da vida palaciana para consagrar a vida a uma só coisa: encontrar uma saída para o sofrimento humano.

Trabalhou nisso durante anos, maltratando o corpo com privações, até descobrir o equilíbrio. Mas, além de seus encontros pelo caminho, o momento fundamental em que pôs à prova seu *ganbatte* foi a árvore de Bodhi.

Qualquer que seja o seu projeto importante, chegará um momento em que a vida cobrará um limite para você obter o que procura. Alguns exemplos:

- O estudante prestes a terminar o doutorado que dedica os últimos meses a revisar a tese com determinação antes de apresentá-la à banca.
- O velocista que intensifica o treinamento perto do dia da maratona para a qual se preparou o ano inteiro.
- Os preparativos finais para o lançamento de uma nova empresa que pode se tornar algo grande.

Dois milênios e meio atrás, Sidarta Gautama decidiu que sua pedra de toque seria aquela figueira ao norte da Índia de hoje. Ele se pôs a meditar embaixo da chamada árvore de Bodhi, decidido a não se levantar até alcançar a iluminação.

Estava com 35 anos, que naquela época bem poderia ser o ápice da vida.

Depois de passar dias ali, seus seguidores o abandonaram, pensando que tinha enlouquecido.

Em dado momento uma violenta tempestade se assomou, mas nem isso o fez desistir. Ele se entregou à meditação durante 49 dias, sem ceder um instante sequer, até alcançar a iluminação. Então, passou a ser Buda, que significa "o que está desperto".

Ele resolveu o problema do sofrimento por meio das chamadas Quatro Nobres Verdades:

1. O sofrimento existe. Em suas próprias palavras: "O nascimento, a velhice, a enfermidade e a morte são sofrimentos. A união com o que é desagradável é sofrimento. A separação do que é agradável é sofrimento. Não obter o que se quer é sofrimento." O sofrimento deve ser *entendido*.
2. A origem do sofrimento é o desejo. Quando ansiamos por um prazer, uma posse, que algo aconteça ou deixe de existir, alimentamos o sofrimento. O desejo deve ser *abandonado*.
3. O desejo pode cessar. E aí também cessa o sofrimento. Por isso no budismo se pratica o desapego, a liber-

tação de todo anseio que nos faça sofrer. A cessação do sofrimento deve ser *realizada*.
4. Existe um caminho para a libertação. Quando o percorremos, podemos chegar ao nirvana, que dá fim ao sofrimento. O caminho da libertação deve ser *desenvolvido*.

Todo grande propósito, seja espiritual ou de qualquer outra natureza, envolve um esforço constante para concluir o projeto, ainda mais quando enfrentamos o desafio final.

26

KATANA: MIRE A BELEZA

A espada é uma criação humana projetada para matar. Isso não se discute. Mas, como todo elemento de artesanato, também pode ser uma obra de arte, principalmente a *katana* japonesa, entendida hoje mais como símbolo e amuleto do que como arma.

Uma superstição popular no país é que as *katanas* são capazes de expulsar o *ma* 魔 (o "mal", os "espíritos malignos"), e quanto melhor a qualidade da *katana*, mais capacidade tem de proteger quem a possui. Até hoje, muitas famílias japonesas compram uma *katana* quando nasce um novo membro e a colocam num lugar importante da casa para protegê-lo pelo resto da vida. As *katanas* são tratadas como tesouros, passadas de geração para geração.

Essa superstição guiou o estilo dos espadeiros à criação de lâminas cada vez mais belas. Sem essa crença, talvez a *katana* japonesa tivesse evoluído para formas mais funcionais, com o mero objetivo de ser usada em combate ou como símbolo de status.

As *katanas* são obras de arte que desafiam a passagem do

tempo, mas só o olho treinado é capaz de diferenciar a lâmina de uma arma forjada por um mestre de 500 anos atrás de outra feita por um mestre contemporâneo. As inúmeras lâminas de aço *tamagahane* (uma areia ferrífera abundante na prefeitura de Shimane) são trabalhadas pelo espadeiro durante meses até ele conseguir o acabamento desejado. O resultado são lâminas que resistem à passagem dos séculos e até dos milênios, como nenhum outro tipo de espada.

Yoshindo Yoshihara é um dos 30 espadeiros ainda ativos que ganham a vida exclusivamente forjando *katanas*. É uma tradição de família, e o conhecimento tem sido transmitido de pai para filho. Para aprender os fundamentos, ele precisou ficar décadas sob a tutela do pai. Agora que tem quase 80 anos, é considerado um dos artistas mais valiosos do Japão. Yoshindo Yoshihara criou algumas *katanas* às quais dedicou anos de trabalho e que passaram a ser consideradas tesouros nacionais.

Por que dedicar meses ou anos de esforço a uma única *katana*?

Para o espadeiro japonês, o objetivo é criar uma beleza capaz de transcender a passagem do tempo. É por isso que, além da parte artística, as *katanas* têm a lâmina mais letal e de melhor qualidade que se conhece. Porque o artesão não poupa esforços, e a beleza costuma ser resultado de muito trabalho.

O ser humano sabe apreciar o esforço, a paixão e o carinho investidos na criação de alguma coisa. Quando fazemos algo rápido, buscando o resultado fácil e funcional, ficamos na superfície. E os outros notam.

Todos somos artistas em nossa vida cotidiana.

Por exemplo, podemos decidir se damos atenção especial à preparação de um prato. Os outros vão notar quando o encontrarem à mesa. Apresentação, aroma, sabor... tudo deve ser levado em conta. Você escolhe se quer cozinhar com pressa, só para se alimentar, ou se quer criar algo belo do qual possa desfrutar.

Sempre que pudermos, como seres humanos, nosso dever é mirar a beleza.

Assim como as *katanas* passaram de simples armas a tesouros graças à transformação dos espadeiros em artistas, mire a beleza e logo sua percepção do mundo e da vida se transformará.

27

A FILOSOFIA DO KARATÊ

O *karate-dō* (literalmente, "caminho da mão vazia") é muito mais do que uma arte marcial, pois sua prática oferece mais do que habilidades de autodefesa. É um aprendizado para a vida, e por isso quis incluí-lo neste livro.

O karatê moderno começou na ilha de Okinawa, de onde foi levado para o arquipélago principal graças ao mestre Gichin Funakoshi, que inaugurou o primeiro *dōjō* na década de 1930.

Essa primeira escola é conhecida como *Shōtōkan* e permitiu que fosse elaborado um *corpus* filosófico que deu a essa arte marcial uma visão mais completa, com componentes do *bushidō*, o "caminho do guerreiro" dos samurais.

Esses antigos guerreiros seguiam um código de conduta estrito que pode ser resumido nas sete virtudes do *bushidō*: justiça, coragem, compaixão, respeito, honestidade, honra e lealdade.

A história japonesa que melhor reúne todos os valores do *bushidō* talvez seja a dos 47 *rōnin* (1701-1703). Quando o xogum obrigou seu daimiô Asano Naganori a cometer *seppuku* ("suicídio ritual") por ter atacado um alto funcionário em seu palácio depois de ter se cansado das humilhações recebidas, todos os vassalos combinaram de vingá-lo e matar Kira Yoshihisa, o funcionário que provocara o ato.

No dia combinado, um ano e meio depois, apenas 47 vassalos compareceram. São conhecidos como os 47 *rōnin*, samurais sem senhor. Foram suficientes: atacaram a casa fortificada de Kira, acabaram com ele e puseram sua cabeça no túmulo de Asano. Cometido o ato, entregaram-se às autoridades para receber seu castigo. O xogum, ao saber do que tinham feito, de suas razões e da fama crescente dos *rōnin*, permitiu-lhes morrer por *seppuku* e ser enterrados junto com seu senhor.

A aplicação prática do código samurai ao karatê foi resumida pelo próprio Funakoshi com uma frase que continua a ser o guia de muitos *dōjōs* da atualidade: "O *karate-dō* não consiste apenas em adquirir certa destreza, mas também em dominar a arte de ser um membro bom e honesto da sociedade."

Além disso, no fim do século XIX o mestre Funakoshi deixou uma lista de normas conhecida como *Nijū kun*, "as 20 regras", para que seus seguidores pudessem dar continuidade à tradição.

As 20 regras originais do mestre Funakoshi

Escolhi cinco que podem ser aplicados a projetos pessoais:

1. Primeiro, conheça a si mesmo; depois, conheça os outros. De nada serve se esforçar na arte da espada se, antes, você não conhece quem a maneja. Todo processo de melhora começa por você.
2. É necessário deixar a mente livre. Para se adaptar, como o Tao, àquilo que a vida lhe oferecer. Uma mente não condicionada por preconceitos e ideias estabelecidas é muito mais eficaz.
3. O karatê é como a água que ferve: se não for aquecida constantemente, ela esfriará. Treino, treino e mais treino no caminho que você escolheu. *Ganbatte!*
4. Mude em função do adversário. Nos problemas da vida também há uma solução que se adapta a cada desafio, e sua tarefa é descobri-la.
5. Pense no modo de aplicar esses preceitos todos os dias. Como dizia Aristóteles: "Somos o que fazemos repetidamente. Portanto, a excelência não é um ato, mas um hábito."

O karatê é mais um estilo de vida do que uma arte marcial, e os próprios mestres tentam ser exemplos de vida para os discípulos.

É por isso que, na entrada dos *dōjōs*, pode-se ler o *Dōjō Kun* ("o mandamento do *dōjō*"), cinco regras originárias do Japão e próprias da escola *Shōtōkan* de Funakoshi:

1. Esforce-se pela perfeição do caráter.
2. Seja correto, leal e pontual.
3. Fomente o espírito do esforço.
4. Respeite os outros.
5. Abstenha-se de agir com violência.

28

TÊNIS: A QUADRA DA FORÇA MENTAL

Até os 20 anos joguei tênis com bastante assiduidade. Ia com um primo mais jovem a umas quadras de saibro e mergulhávamos nessa atividade como se nada mais existisse.

Ali me dei conta de que se há um esporte em que o sucesso está condicionado à força mental, esse esporte é o tênis.

A concepção do jogo faz o preparo físico e o talento sempre andarem de mãos dadas com a capacidade do jogador de vencer os problemas; na maior parte das vezes, os pontos perdidos são por erro próprio. Exceto pela modalidade em duplas, o jogador está sozinho, e tudo o que acontece depende dele mesmo.

Por esse motivo, sem confiar na própria capacidade, que é possível chegar a determinado resultado, não é possível manter-se na quadra. Quem perde a confiança na vitória perde a partida.

O relaxamento também tem papel fundamental no desempenho do tenista, pois é necessário ter muita precisão para obter cada ponto. É por isso que vemos rotinas tão marcadas antes de um saque ou entre um ponto e outro: elas servem para libertar a mente de qualquer pressão, para que o tenista dispute a bola seguinte com a maior tranquilidade possível, procurando renovar-se depois de cada *rally*.

Depois de trocar o tênis por outros esportes, continuei muito interessado em seguir os grandes torneios pela televisão. Observei que cada tenista tem sua maneira de liberar a tensão. Alguns parecem flutuar sobre a quadra e jogar em transe; outros gritam para esvaziar a mente e recuperar a concentração.

Cada ponto é uma nova oportunidade, e, embora uma tendência negativa na partida possa ser um fardo, os grandes jogadores conseguem recuperar partidas que consideravam perdidas, inclusive com uma bola decisiva contrária. Isso demonstra que a resiliência é um fator fundamental não só nas partidas que parecem perdidas e nas quais há uma virada, como também diante de adversidades muito mais graves, como lesões.

Entre os tenistas, é comum a autocongratulação depois de ganhar um bom ponto, jogo ou set. Tudo para reforçar o principal para ir adiante: a confiança e as próprias opções.

Um bom exemplo é Naomi Osaka, jogadora japonesa que mora na Flórida e que, depois de ganhar três títulos no Grand Slam, chegou a ser a número 1 do mundo em 2019.

Antes, nenhuma tenista japonesa conseguira um título da categoria máxima, muito menos chegara ao ápice da WTA (Women's Tennis Association). Para ela, além de pelo esforço contínuo do treinamento, o sucesso é alcançado por meio de quatro fundamentos que ela explica com suas próprias palavras:

1. **Confiança.** "Não acredito que seja possível ganhar um Grand Slam sem confiança em si mesma."
2. **Serenidade.** "Sinto que jogo melhor quando estou tranquila. Há uma paz interior que às vezes consigo aproveitar durante as partidas."
3. **Diversão.** "Só quero me divertir nas partidas, porque o tênis é um jogo."
4. **Concentração.** "Quando jogo uma partida, não há mais nada em minha mente."

29

QUANDO NÃO TIVER VONTADE DE SE EXERCITAR, *GANBATTE!*

Sou fã dessa citação de Woody Allen: "Oitenta por cento do sucesso consiste em estar lá."
Talvez 80% seja exagero, mas serve para dar uma ideia da importância que têm a intenção e a constância na hora de perseverar.
Aprendi isso na infância, quando pratiquei taekwondo, embora a maioria de meus colegas de sala tenham optado por uma arte marcial como judô ou aikidô. Uma das palavras mais repetidas no *dōjō* era a coreana *innae* 인내, "perseverança" ou "paciência".
Era muito curioso. O mestre não valorizava tanto quando conseguíamos fazer posições marciais bonitas ou chutar muito alto; ele só queria que estivéssemos em sala todos os dias. Tínhamos que estar lá, treinar, ser a cada dia um pouco melhores do que no dia anterior.
Darei um exemplo mais prático. Imagine duas pessoas de 50 anos. A primeira praticou exercícios com muita intensidade, várias horas por semana, até os 30 anos, quando parou de

se dedicar à saúde física. A segunda pessoa, desde os 20 anos, faz 10 minutos de exercício suave todos os dias, sem exceção, e dá longas caminhadas três vezes por semana.

Qual das duas tem melhor aspecto e saúde aos 50 anos?

Entre os países desenvolvidos, o Japão é o que tem o mais baixo índice de obesidade em adultos. Um dos segredos para isso, além da alimentação saudável, é se exercitar um pouco a cada dia.

Muitos japoneses praticam *radio taisho*, que só exige 5 a 10 minutos toda manhã, mas é suficiente para mover as articulações e os músculos mais importantes do corpo. Eu mesmo tenho esse hábito.

Mas não precisa ser *radio taisho*. Você pode seguir o método que preferir e que se adapte melhor ao seu estilo de vida. Pode ser yoga, tai-chi, calistenia, qigong, pilates... Não tente nada que ultrapasse sua capacidade. O importante é praticar com constância, criar o hábito. Nosso eu futuro nos agradecerá por manter uma rotina diária de manutenção do corpo.

Se todo dia temos tempo para comer, escovar os dentes, tomar banho e dormir, por que não reservar tempo para nos exercitar?

Transforme mover o corpo em uma prioridade, pois sua mente também vai agradecer. Isso é algo que ultrapassa a sabedoria japonesa e beneficia toda a humanidade: *mens sana in corpore sano*, como diziam os antigos romanos.

A inação não é uma opção.

Ganbatte!

A seguir, apresento uma tabela com as desculpas mais comuns para a falta de prática de exercícios e uma solução para cada:

Desculpa	Solução
Não tenho tempo.	Planeje o tempo para fazer exercícios.
Não gosto.	Diga a si mesmo: *Ganbatte!* Em seguida, comece com um passo, uma pedalada, um agachamento. É melhor mover o corpo por 5 minutos do que não movê-lo.
Não tenho motivação.	Crie uma rotina com um amigo para que vocês se ajudem mutuamente. Crie um ritual para um avisar o outro quando terminar os exercícios ou marquem de treinar juntos.
Não sou do tipo que faz exercícios.	Mude seu eu. Seja o tipo que persevera e faz o que tem que fazer todo dia. O exercício precisa ser prioridade na vida, assim como comer e dormir.
Não sei que tipo de exercício fazer.	Comece com algo que possa fazer facilmente: caminhada, agachamentos, flexões (contra a parede ou a mesa, se não conseguir fazer no chão).

30

AS 10 LEIS DO *GANBATTE* PARA A BOA FORMA FÍSICA

1. FAZER UM POUCO DE EXERCÍCIO, MESMO QUE POR UM TEMPO MÍNIMO, É MELHOR DO QUE GRANDES PLANOS NO SOFÁ

Acontece com todos nós: ter grandes ideias que logo desmoronam.

Dizemos: "Vou correr e depois fazer yoga", "Vou à academia"... mas, quando nos damos conta, passamos o dia no sofá.

Mais vale fazer 10 minutos de exercício leve no jardim ou na varanda do que não fazer absolutamente nada.

Você tem que mexer o corpo; essa deve ser a prioridade da vida.

2. NÃO SE COMPARE COM OS OUTROS

A não ser que pratique um esporte competitivo, manter a forma física não deve fazer parte de uma competição. Compare-se consigo mesmo, com seu eu do passado.

Melhorou em relação ao mês passado? Ao ano passado?

É claro e inevitável que a idade cobrará seu preço. Quando isso começar a acontecer, concentre-se em manter a mobilidade e em praticar o que faz você se sentir bem e conectado com o corpo.

3. FAÇA ALGO DE QUE GOSTE

Qual é o melhor tipo de exercício para você?

Isso depende de cada pessoa, da idade e até do estado de ânimo. Se praticar o que não gosta, inevitavelmente você vai abandonar a atividade depois de algum tempo.

Escolha alguma coisa que possa continuar praticando não durante três ou quatro meses, mas durante décadas.

Experimente até encontrar algo de que realmente goste. O melhor exercício é aquele que você tem vontade de praticar todo dia.

4. ENTRE EM ESTADO DE FLOW

Como saber se determinado esporte ou exercício é ou não para você?

Imagine que você começa a praticar yoga.

No princípio, não é fácil para ninguém, mas, com a prática, você observa que perde a noção do tempo, ou seja, que está entrando em estado de flow.

Quando você gosta tanto de uma coisa que nem sente o tempo passar é porque está no flow.

Procure atividades cujo nível de dificuldade seja adequado para você. Não é possível fluir no que é fácil ou difícil demais.

5. FAÇA ALGO TODOS OS DIAS, SEM EXCEÇÃO

Não faz falta o exercício que esgota.

Tente algo simples como uma longa caminhada, alongamentos antes do banho, alguns polichinelos ou... Compre uma corda e vá pular!

A mentalidade do *ganbatte* não é disparar nem fazer com o máximo esforço.

É fazer as coisas pouco a pouco e ganhar a longo prazo, com perseverança.

6. TREINE COM UM AMIGO OU GRUPO

Você pode ter um personal trainer, inscrever-se em um grupo ou curso ou se juntar a um ou mais amigos.

Crie um grupo em seu aplicativo de mensagens e dê o nome *Ganbatte!*.

Acrescente os amigos que querem cuidar do corpo.

Ao fim de cada dia, cada um pode mandar mensagens com o exercício que praticaram.

Se morarem perto, vocês podem treinar juntos.

7. CONECTE CORPO E MENTE. RESPIRE!

Muitas vezes, no meio de uma atividade física, nos esquecemos de respirar direito.

Observe sua respiração.

Por meio dela, a mente e o corpo se unem.

Respire, sinta seu corpo, libere sua mente.

8. DESFRUTE DAS SENSAÇÕES DEPOIS DO EXERCÍCIO

Quando terminar a atividade, dedique um tempo a meditar e observar as sensações no corpo e na mente.

Você se sente melhor antes ou depois de se mexer? Guarde na lembrança essa sensação de felicidade e relaxamento.

Isso vai ajudá-lo a ter vontade de repetir o exercício no dia seguinte.

9. EXPERIMENTE COISAS NOVAS

É claro que há esportes e atividades físicas que você nunca praticou.

Os seres humanos gostam de novidade por natureza. Você pode encontrar algo diferente que se torne sua nova paixão. Se algo não lhe agradar, com certeza você vai aprender com a experiência alguma coisa que poderá incorporar no futuro.

10. AME SEU CORPO

Lembre-se de amar seu corpo, de gostar dele tal como é, sem se importar com seu estado atual. Todos passamos por momentos bons e ruins.

    Seu corpo é você, sua mente é você. Ame-se, respire e concentre-se em seguir essas 10 leis, sem pressa, mas sem pausa.

Ganbatte!

Os métodos clássicos e a tradição
escravizam a mente;
mas você não é um indivíduo,
é só um mero produto.
A mente é o resultado de mil ontens.
— Bruce Lee

31

MIYAMOTO MUSASHI: TRANSFORME SUA MENTE EM ÁGUA

Ao passar por um pequeno jardim perto de casa, costumo me deter por uns instantes para observar uma *shishi-odoshi*, um tipo de fonte japonesa. Seu funcionamento é tão simples quanto belo: um filete d'água cai dentro de um cano de bambu até enchê-lo o suficiente para desestabilizá-lo. Quando isso acontece, o cano pende com um golpe.

Esse golpe emite um som agradável, quase musical e hipnótico. Quando se esvazia, o cano volta ao lugar inicial e a água torna a preenchê-lo.

O fluir contínuo e a adaptabilidade da água me fazem lembrar um dos componentes mais importantes da filosofia de Miyamoto Musashi. Talvez ele seja o *rōnin* mais famoso da história, que chegou a dominar tanto as letras quanto a espada. Sua obra mais conhecida é *O livro dos cinco anéis*, escrita em cinco pergaminhos intitulados com os elementos Terra, Água, Fogo, Vento e Vácuo.

Meu favorito é o da Água. Nele, Miyamoto Musashi explora a água como uma metáfora que podemos aplicar na vida: é um elemento sem forma que se adapta quase imediatamente à forma daquilo que o contém.

Em suas próprias palavras:

Com a água como base, o espírito se transforma em algo como a água.
A água adota a forma de seu receptáculo: às vezes, um fio ou gotejamento; em outras, um mar enraivecido.

Musashi costumava escrever visualizando situações de combate em que um samurai teria que enfrentar o adversário, mas sua crença era de que o conhecimento e a filosofia do mundo das batalhas podem ser usados em todos os âmbitos da vida.

Embora ninguém se enfrente em duelos com *katanas*, no mundo moderno há várias situações difíceis na vida diária, e muitas vezes nosso primeiro impulso é atacá-las de frente. Queremos uma solução quanto antes. Mas, com frequência, o resultado desejado não é obtido pelo choque, e o melhor é adaptar nossa atitude quando notarmos oposição.

Sua mente, suas emoções, seus pensamentos e sua forma de reagir às situações complicadas... tudo isso deve ser como a água.

Quando cai em um receptáculo ou vem do céu na forma de chuva, embora passe por momentos turbulentos, no fim a água chega a um estado de calma e se adapta ao seu novo ambiente. Se conseguíssemos adquirir o espírito da água, nunca nos preocuparíamos. Saberíamos que podemos nos adaptar a qualquer circunstância.

Séculos depois da morte de Musashi, suas palavras foram lidas por Bruce Lee, um dos artistas marciais mais renomados de seu tempo e que volto a citar agora. Em sua entrevista mais conhecida, ele usou a mesma metáfora que o *rōnin* mais famoso:

> Seja como a água, que abre caminho pelas gretas. Não seja teimoso. Ajuste-se ao objeto e encontre um caminho ao redor ou através dele. Se nada dentro de você for rígido, as coisas externas se revelarão como são.
> Esvazie sua mente, não tenha forma.
> Sem forma, como a água.
> Quando se põe água no copo, ela se transforma no copo. Quando se põe água na garrafa, ela se transforma na garrafa. Quando se põe água na chaleira, ela se transforma na chaleira. A água pode fluir ou colidir.
> Seja água, meu amigo!

32

ESTOICISMO E *GANBATTE*

O estilo de vida no Japão, tanto do indivíduo quanto da sociedade em geral, tem muitos pontos em comum com a escola helênica dos estoicos.

A filosofia estoica se baseia em aceitar as coisas como são, sem se deixar arrastar por emoções e desejos que nos afastam do estado de *eudaimonia* ("felicidade") e *apatheia* ("paz mental").

O budismo, o xintoísmo, o confucionismo e outras religiões e filosofias que influenciam o pensamento japonês têm base no estoicismo. Eles ensinam a lidar com os infortúnios da vida sem deixar que as emoções negativas que derivam deles se apoderem de nosso coração e de nossa mente.

Uma ideia equivocada que muitos têm do estoicismo ou do budismo é que devemos suportar sem emoção qualquer desgraça que nos acomete. Não é assim. Tanto o estoico quanto o budista sentem todo tipo de emoção. Eles não são imperturbáveis. A diferença é que eles sabem reconhecer e relativizar as emoções negativas e escolhem como reagir.

As emoções são efêmeras e mudam a cada segundo. Quando notar que uma emoção negativa vai dominá-lo, visualize-a como um viajante que visita sua casa para tomar chá e logo volta ao seu caminho.

A visita pode até demorar, mas em algum momento irá embora.

Depois de uma noite de chuva torrencial, imagine que um rochedo caiu no meio do caminho que você escolheu para chegar ao pico.

Uma opção é desistir e voltar para casa. Mas também é possível encontrar um novo caminho. Sêneca disse: "As dificuldades fortalecem a mente, assim como o trabalho fortalece o corpo."

Com a vida é a mesma coisa.

As pedras caem o tempo todo.

Os obstáculos são inevitáveis.

Se tentar controlar a queda das pedras, você vai se frustrar.
Se ficar parado toda vez que uma cair, você ficará triste.
Se voltar ao ponto de partida para não enfrentar os obstáculos do caminho, você ficará infeliz.

No entanto, se vir o obstáculo como uma oportunidade, você aprenderá e ficará mais forte.
Se escutar suas emoções antes de reagir quando algo der errado, suas soluções serão mais eficazes.

Se seguir em frente, aconteça o que acontecer, você crescerá como ser humano.

Os obstáculos são um bom indicador de que vamos pelo bom caminho. Só quem não caminha jamais tropeçará. Cada prova por que passamos e cada obstáculo que deixamos para trás apenas nos fortalecem.

Para superar os obstáculos que encontramos ao longo dos anos, a filosofia estoica e o *ganbatte* defendem três regras simples:

1. Observe o que acontece e sinta seu coração a todo momento.

Sua missão é ter mais consciência do que sente e não permitir que as emoções negativas assumam o controle das decisões.

2. Se uma desgraça ou um obstáculo surgir em seu caminho, *ganbatte!*

Sua missão é não ficar bloqueado diante da adversidade e seguir em frente sempre, aconteça o que acontecer.

3. Não se preocupe com o que está além de seu controle.

Se é um problema que está sob seu controle, *ganbatte!* Tome as rédeas e resolva-o. Mas, ao contrário, se for algo além de seu controle, não se preocupe.

A prova de que essa sabedoria é universal são as citações que chegaram aos nossos dias, desde os pensadores da escola estoica até Confúcio e Buda, grandes sábios fisicamente separados no tempo e no espaço, mas muito unidos na mente.

Só há um caminho para a felicidade,
que é não se preocupar com o que está
além de seu controle.
— Epíteto

Sua vida é criada por seus pensamentos.
Você é o que pensa.
— Confúcio

Você tem poder sobre sua mente, não sobre os acontecimentos.
Perceba isso e encontrará a força.
— Marco Aurélio

Tudo o que somos resulta do que pensamos. Se o homem fala ou atua com astúcia, a dor o segue. Se o faz com o pensamento puro, a felicidade o segue como a sombra que nunca o abandona.
— Buda

33

SEU INIMIGO É SEU MELHOR AMIGO

O mangá *Ashita no Joe* (Joe da manhã), publicado em 20 volumes de 1968 a 1973, é uma das obras mais influentes da cultura popular japonesa.

A história começa quando Joe foge de um orfanato nos arredores de Tóquio e então se envolve numa briga de rua com um bêbado. Depois da briga, impressionado com a habilidade de Joe na luta, o bêbado se apresenta como Danpei, boxeador aposentado, e se oferece para treiná-lo.

Esse primeiro encontro em que um rival se transforma em amigo lança a base para o resto da história.

Joe é treinado por Danpei e começa a carreira de boxeador profissional. Conforme a história avança, os rivais que Joe precisa enfrentar são cada vez mais fortes, e isso o faz crescer. Embora seja inferior aos adversários em alguns aspectos, ele nunca desiste, aconteça o que acontecer.

Na última luta de Joe contra Mendoza, na final do campeonato mundial de boxe, todos os antigos rivais assistem como espectadores. Já não são inimigos; agora são amigos que vão incentivá-lo e vê-lo lutar.

Depois de um duro combate contra Mendoza, no qual é golpeado até o limite da resistência, Joe se senta, esgotado, no banquinho de seu canto do ringue, no quadrinho final desse mangá lendário. Está cabisbaixo, com os olhos fechados, mas em seus lábios se desenha um esgar misterioso.

Joe morre no banquinho, sem desistir e com um sorriso nos lábios.

Ashita no Joe nos ensinou a mostrar um sorriso até na pior das circunstâncias, a não desistir nunca e a converter os inimigos em amigos.

O mangá estabeleceu uma tendência herdada por séries posteriores, como *Dragon Ball* e *Naruto*.

Goku, o protagonista de *Dragon Ball*, também enfrenta inimigos cada vez mais fortes, que o superam em muitos aspectos, mas nunca desiste. Ele admira tanto os amigos quanto os inimigos e sempre tem palavras de agradecimento para todos. Sente pena dos maus, até quando matam seus amigos. Isso faz com que, conforme a trama avança, quase todos os seus inimigos se tornem amigos.

Assim como Joe, Goku sorri até mesmo em situações de vida ou morte. Seu bom humor transforma os outros personagens, o leitor do mangá ou o espectador do anime.

Essas histórias de anime e mangá estabeleceram, durante os últimos 50 anos, o *zeitgeist* ("espírito e forma de pensar") de várias gerações de japoneses, assim como de seguidores desses gêneros no mundo inteiro.

Seus princípios podem se resumir em:

- Nunca desistir.
- Crescimento contínuo como pessoa, tanto nas vitórias quanto nas derrotas.
- Aprender com os inimigos ou rivais e transformá-los em amigos, porque são seus mestres.
- Sorrir e mostrar bom humor em qualquer circunstância.

Depois do terremoto e do tsunami de 2011, Akira Toriyama, autor de *Dragon Ball*, fez um desenho especial com Goku e Arale (protagonistas de suas duas criações mais populares) com a seguinte mensagem de ânimo:

A todas as vítimas do desastre,
estes são momentos muito difíceis,
mas, de alguma forma,
façam todo o possível para não desistir.
Ganbatte kudasai![2]

---

2 *Kudasai* significa "por favor" e se usa muito com *ganbatte*. A tradução de *ganbatte kudasai* seria: "Esforcem-se, por favor."

34

O QUE NÃO SE VÊ, MAS SE PODE SENTIR

A primeira coisa que o viajante japonês que vai à Europa observa é a imponência das fachadas dos prédios históricos no centro das cidades. Eles foram projetados para isso: impressionar.

Diferente disso, no Japão as fachadas são sóbrias e minimalistas. Costuma-se dar muito mais importância ao interior e, principalmente, a outras partes que se veem menos, como a fachada posterior.

Por que gastar energia e esforço embelezando algo que ninguém vai ver? Para muitos ocidentais, pode parecer um gasto inútil de recursos, mas para os japoneses é uma forma de *ganbatte*, de se esforçar para cuidar até dos mínimos detalhes, mesmo sendo algo não muito visível.

Quando passeio pelas ruas de Quioto, observo a fachada das casas *machiya* tradicionais, sempre austera, sem ostentação. As persianas fechadas diante de portas e janelas dizem ao passante: "Este lugar é privado."

No entanto, ao mesmo tempo sinto uma curiosidade infinita de saber como são essas casas por dentro. Uma aura de mistério as rodeia. As fachadas são simples, mas transmitem um amor aos detalhes que projeta uma beleza sutil ao seu redor.

Embora não se veja, dá para sentir.

Akira Kurosawa, a quem dedico um capítulo inteiro mais adiante, entendia isso muito bem. No filme *O Barba Ruiva*, ele recriou um hospital rural inteiro, embora só tenha utilizado parte de suas instalações. Mandou encher de remédios e material sanitário gavetas e armários, ainda que não fossem ser abertos durante a filmagem.

Kurosawa acreditava que uma gaveta cheia de seringas tem o poder de fazer os atores se sentirem e atuarem de forma diferente e que isso se estenderia ao público do filme.

Muitas vezes, quando terminamos uma tarefa, ficamos com preguiça de checar os detalhes que nunca serão vistos, mas nós, seres humanos, conseguimos intuir se houve algum esforço ou não. Assim, não economize nos detalhes.

Se espera uma visita, não limpe apenas o quarto de hóspedes, limpe a casa inteira. Se escreve um livro, o primeiro capítulo não é o mais importante. Quando você se veste para uma reunião, todas as peças, inclusive a roupa de baixo, são relevantes.

Você vai perceber isso e, de forma misteriosa, os que estiverem ao seu redor também.

35

A ESTACA E O CORREDOR

Até os Jogos Olímpicos de 1968 existia no atletismo a chamada "barreira dos 10 segundos": a crença de que seria impossível correr os 100 metros rasos em menos tempo.

Esse "impossível" foi dizimado pelo americano Jim Hines, que naqueles Jogos marcou o tempo de 9,95 segundos, para assombro de todo o mundo.

Depois de batido esse recorde, uma barreira psicológica deixou de existir entre os velocistas, pois em 1977 outro atleta, Silvio Leonard, também o fez em menos de 10 segundos. A partir daí, como se constatassem que a proeza de Jim Hines não era única nem sobre-humana, um atleta após outro rompeu a chamada "barreira dos 10 segundos". Só em 1983, em 14 de maio, Carl Lewis marcou 9,97 segundos; em 3 de julho, Calvin Smith baixou a marca para 9,93 e quebrou o próprio recorde um mês mais tarde.

Como se explica que algo que ninguém jamais conseguira de repente se converta em um marco normal nos mundiais de atletismo e nos Jogos Olímpicos?

Esses atletas treinavam mais do que os que conseguiam em 10 segundos e alguns centésimos?

É claro que não. O esforço era o mesmo, mas o que Jim Hines quebrou foi a barreira mental de que aquilo era impossível. Quando ele demonstrou – e o cubano Silvio Leonard reforçou – que não tinha sido um milagre, os outros velocistas se permitiram chegar a menos de 10 segundos.

Em suas lúcidas *Meditações*, o imperador e filósofo romano Marco Aurélio explicou assim esse fenômeno:

> Embora suas forças pareçam insuficientes para a tarefa à frente, não pressuponha que esteja além dos poderes humanos. Se algo estiver dentro dos poderes da província do homem, acredite: também está dentro de suas possibilidades.

Para isso, além do esforço constante necessário para se quebrar um recorde, é preciso ter a crença de que aquilo é possível. A primeira barreira, a mais importante, está na mente.

Sobre isso, há a história do médico argentino Jorge Bucay, que fala de um enorme elefante de circo que, depois de empregar em cada sessão sua força descomunal, voltava a ficar preso a uma corrente fixada numa pequena estaca no solo.

Era só um pequeno pedaço de madeira, enterrado poucos centímetros no chão, e era óbvio que aquele animal formidável poderia, com pouquíssimo esforço, arrancar a estaca e fugir de uma vida tão escravizada.

Mas por que não o fazia?

A resposta é que ele era amarrado a essa estaca desde bem pequeno, quando tentara arrancá-la muitas vezes, sem sucesso. Não tendo conseguido apesar de tanto esforço, resignou-se a acreditar que aquele era seu destino e assumiu o NÃO CONSIGO.

Com o tempo, o elefante cresceu, ganhou peso e multiplicou sua força, mas, amarrado à antiga crença, não voltou a tentar. Agora, conseguiria arrancá-la sem problemas, mas ele não sabe disso.

Quantas estacas mantemos em nossa vida porque continuamos abrigando um velho e caduco NÃO CONSIGO? Qual é sua barreira psicológica dos 10 segundos? Você se atreve a rompê-la de uma vez por todas?

36

A EQUIPE HOYT

Quando o assunto é esforço, não podemos deixar de falar no amor. Quero compartilhar aqui uma história pessoal por seu extraordinário valor humano e de superação.

O protagonista é Dick Hoyt, um ex-militar americano cuja vida mudou radicalmente em 1962, com o nascimento de seu filho Rick. Com paralisia cerebral, o menino não podia falar, andar nem mover as mãos e os braços.

Aos 12 anos, Rick começou a se comunicar por um programa de computador que traduz seus movimentos de cabeça em palavras e, depois, frases. As primeiras palavras que disse por esse meio foram "Avante, Bruins!", para incentivar o time local de hóquei.

Isso fez os pais perceberem que o menino se interessava por esportes e decidirem "desouvir" a opinião dos médicos de que Rick estava condenado a viver como uma planta.

Aqui começou a aventura.

Dick Hoyt decidiu formar uma equipe com o filho para treinarem juntos e participar das maratonas e dos triatlos mais difíceis do país. Para isso, levaria Rick num carrinho, como se fosse um bebê.

A "equipe Hoyt" ficou famosa desde que Dick e Rick fizeram a primeira corrida, em 1977. O público e os participantes ficaram impressionados com aquele pai que levava o filho de quase 70 quilos numa cadeira acoplada à bicicleta, arrastava-o num bote enquanto nadava e, finalmente, empurrava sua cadeira de rodas nas maratonas.

Juntos, eles participaram de mais de mil competições, que incluíram uns 250 triatlos e seis provas *Ironman*. Ou seja: 44 quilômetros de maratona + 180 quilômetros de bicicleta + 4 quilômetros de natação. Tudo isso sem parar, carregando o peso de um filho que ia crescendo somado ao de seus aparelhos, e obtendo, além disso, resultados mais do que notáveis.

Como Dick Hoyt conseguia concluir com Rick essas provas sobre-humanas?

A única explicação possível é que era impulsionado pela força do amor.

Dick queria transmitir ao filho que nada é impossível, e a mensagem se fez ouvir. Rick terminou o bacharelado e se formou em Educação Especial na Universidade de Boston. Conseguiu levar uma vida autônoma em seu próprio apartamento e trabalhar no Boston College.

Esse exemplo extremo de esforço sobre-humano prova que há limites que vão além da imaginação. Como dizia Platão, não há homem que não possa se converter em herói por amor.

37

MENTALIDADE DE MARATONISTA

No ano 490 a.C., Filípides correu os 42 quilômetros que separavam Atenas da cidade de Maratona para dar a notícia da vitória contra os persas. Ao chegar, morreu de exaustão. Essa é a origem de uma das mais exigentes provas de atletismo, para a qual é necessário um grande treinamento físico e mental.

Para alcançar um objetivo a longo prazo, não vamos analisar as diversas etapas do treinamento físico intenso do maratonista, nas quais os dias de carga de trabalho progressiva e os de descanso são medidos com precisão, mas sim a parte menos conhecida das competições: a preparação mental dos atletas.

Conhecer essas fases emocionais pode nos ajudar a "atingir a meta" em nossos projetos.

Segundo Tomás Vich Rodríguez, no livro *A momentos malos, pensamientos positivos* (Para momentos ruins, pensamentos positivos, em tradução livre), durante a maratona se sucede uma série de fases associadas ao cansaço e à mente.

Fase	Quilômetro	Descrição
Euforia	0-6	Pensamentos positivos pré--corrida. Alegria.
Conversa	6-16	Conversa com os companheiros. Acelerar o passo.
Transição	16-24	Etapa neutra.
Latente	24-32	Começa o desafio: cansaço, angústia, sofrimento físico e mental.
Sofrimento	32-42	Agonia e ansiedade. Esgotamento mental.
Êxtase	Últimos metros	Ascensão anímica por ver a linha de chegada próxima.

Há diversas técnicas usadas pelos maratonistas para elevar a força mental e que podem ser treinadas e postas em prática.

Por exemplo, alguns velocistas detêm o pensamento, dão instruções a si mesmos ou recobram a atenção, pois a mente pode ser um fardo muito prejudicial ou um grande aliado em que se apoiar.

Os autores W. Morgan e M. Pollock, no estudo "Psychologic Characterization of the Elite Distance Runner" (Caracterização psicológica da elite dos corredores de longa distância), de 1977, diferenciaram as estratégias.

- Associativas: focar totalmente na corrida e manter diálogos consigo mesmo e pensamentos relacionados com as sensações do corpo ou outros elementos da maratona. Nesse caso, o atleta se concentra na respiração, nas pulsações ou na musculatura.
- Dissociativas: desconexão intencional da mente em relação à corrida, fixando a atenção em estímulos externos, como música e paisagem. O objetivo de se desinteressar dos avisos do próprio corpo é não prestar atenção no cansaço e no mal-estar.

Sem dúvida, essa é apenas a ponta do iceberg das estratégias que os técnicos oferecem aos velocistas.

O treinamento psicológico conta com muitas outras ferramentas para desenvolver a capacidade dos atletas, e podemos utilizá-las fora do contexto da competição quando nos vemos diante de um objetivo muito desafiador.

Vejamos algumas:

- Autoinstruções. Quando se está sozinho na corrida, falar consigo mesmo de forma positiva e ser seu próprio guia para superar as dificuldades.
- Estabelecer objetivos de curto e longo prazo. Os de longo prazo, divididos em outros menores e mais fáceis de assumir, ajudam a chegar mais perto da meta.
- Relaxamento físico e mental. Isso permite controlar o nível de motivação e diminuir a ansiedade quando ela aparecer.

- Visualização. Recriar na mente a imagem tanto das dificuldades que surgirão quanto da maneira de enfrentá-las, e também da meta, é um bom mecanismo para superá-las.
- Técnicas de concentração. Saber diferenciar bem quais estímulos são importantes e quais devem ser ignorados, para que estes não nos afastem da meta.

Essas estratégias ajudam a otimizar o esforço, pois nos dão confiança e nos mantêm alheios a tudo que prejudique nosso foco.

Que maratona, de qualquer tipo que seja, você planeja correr no futuro próximo?

38

LIVRE-SE DA SEGUNDA FLECHA

Como acontece com todo mundo, há momentos em que a relutância ou a indecisão me atacam, mas tento perceber esse sentimento assim que surge em minha mente.

Nisso, recordo as palavras pronunciadas no século XIV pelo monge Yoshida Kenkō para evitar a preguiça:

> Uma pessoa que aprendia o tiro com arco se postou diante do alvo com duas flechas na mão. O mestre disse: "O principiante nunca deve ter uma segunda flecha; enquanto depender dela, será descuidado com a primeira."

Uma reflexão brilhante!

Enquanto nosso subconsciente souber que temos uma flecha reserva, atuaremos com menos cuidado e dedicação e, com certeza, erraremos o primeiro tiro.

Se soubermos que temos uma segunda ou terceira opção caso a situação seja desfavorável, tenderemos a baixar a guarda. O subconsciente vai nos sabotar, nos fazer prestar menos atenção, e a probabilidade de falhar na primeira tentativa será maior.

Muitos empreendedores de sucesso sabiam que, se não dessem certo de primeira, iriam à falência. Por isso, a energia que colocavam dia a dia em seu trabalho era tanta que a probabilidade de tudo dar certo era altíssima.

Com a experiência de obter o primeiro sucesso, deveria ser fácil repetir o êxito. Mas não é bem assim. Embora pareça uma contradição, é muito mais difícil encontrar empreendedores em série (*serial entrepreneur*): pessoas que têm sucesso na segunda e na terceira vez.

Por quê? No caso das empresas, talvez haja uma reserva de capital, a segunda flecha, e isso as faça relaxar.

Sempre que puder, enfrente os novos desafios com uma única flecha.

É possível aplicar esse princípio no esporte, nos negócios, na dieta e até no amor. Se tiver mais de uma flecha, guarde as outras. Experimente visualizar seus dias como se estivesse começando do zero a cada manhã, com uma única flecha disponível.

39

O LONGO CAMINHO DO AMOR

No ano 2000, o sociólogo judeu Zygmunt Bauman começou a falar do *amor líquido* como contraponto às relações sólidas de nossos ancestrais. Assim como se mantinha o mesmo trabalho a vida inteira, nas gerações passadas os casamentos também eram permanentes.

Na modernidade líquida, por outro lado, as relações são descartáveis. A tolerância à frustração é quase zero e, diante de qualquer pequeno conflito, o grande bazar dos aplicativos de relacionamento oferece instantaneamente um substituto para o nosso parceiro.

Esse tipo de amor que não exige esforço é contrário à filosofia deste livro. Para aprender os segredos do amor sólido, vale a pena conhecer os americanos Zelmyra e Herbert Fisher, que ficaram 86 anos e 290 dias casados até a morte dele, em 2011.

Um ano antes, o casal explicou o segredo para saírem vencedores na maratona do amor, depois de atravessarem juntos a Grande Depressão de 1929, a Segunda Guerra Mundial e as guerras da Coreia e do Vietnã, entre muitos outros acontecimentos. Enquanto estavam casados, eles assistiram ao mandato de 15 presidentes americanos.

Depois de ostentar o recorde mundial do Guinness como casal mais longevo, em 2010 eles responderam a perguntas de seus seguidores no Twitter. Eis quatro delas:

Como souberam que tinham encontrado a pessoa certa?
Crescemos juntos e éramos melhores amigos um do outro desde antes de nos casar. Um amigo é para a vida toda, por isso nosso casamento durou.

Vocês fariam algo diferente depois de 80 anos de casados?
Não mudaríamos nada. Não há segredos em nosso casamento. Só fizemos o que foi necessário para cada um de nós e para a família.

Qual foi o melhor conselho de casal que vocês já receberam?
Respeitem-se, apoiem-se e comuniquem-se. Sejam honestos, fiéis e sinceros. Amem-se de todo o coração.

Como conseguiram crescer como indivíduos e se manter juntos?
Semeando e colhendo, para comemorar juntos. Somos indivíduos, mas conseguimos mais coisas quando estamos juntos.

40

AS 10 LEIS DO *GANBATTE* PARA O AMOR DURADOURO

1. ESCOLHA BEM
Muitos casais não perduram porque, desde o início, são fruto da precipitação.
    O caráter incompatível vai se revelando com o tempo. Por isso, antes de firmar o compromisso vale a pena refletir se é possível trilhar um caminho juntos.

2. AME COM *KAIZEN*
Mais vale um pequeno esforço diário e constante do que grandes demonstrações de amor seguidas por longos silêncios.
    O relacionamento é uma maratona em que é preciso medir o esforço e ser disciplinado para que não faltem forças.

3. NÃO CANTE VITÓRIA
Um erro comum é pensar que o cônjuge já está conquistado e, assim, não é mais necessário nenhum esforço pelo relacionamento.

Acomodar-se e deixar de ser detalhista é a garantia da decadência do vínculo. Na batalha do amor, não existe vitória definitiva; é preciso ganhá-la a cada dia.

4. ATENÇÃO À LINGUAGEM

Muitas discussões de relacionamento começam com um detalhe e vão inchando como um balão que acaba explodindo.

Boa parte do problema está em repreender o outro, apontar o dedo para ele, o que só provoca justificativas e uma atitude defensiva.

5. LEMBRE-SE DO QUE OS UNIU

Um casal é um livro aberto que vai sendo escrito dia a dia, página por página, mas não é bom esquecer os primeiros capítulos, quando foi acesa a chama que iluminou o caminho.

Tenha sempre em mente que aquilo que os fez se apaixonarem serve para reviver e alimentar esse fogo.

6. ACEITE SUAS IMPERFEIÇÕES

O amor duradouro tem raízes no *Wabi Sabi*, a beleza da imperfeição que é não conformismo, mas consciência de que todo mundo é uma alma em evolução, uma obra em andamento. A partir dessa aceitação, os dois podem crescer juntos.

7. FAÇA NOVOS PLANOS

O horizonte do casal se nutre de projetos em comum.

Além do cotidiano, é necessário construir juntos novos sonhos que iluminem os dias apagados.

A certeza de avançar junto com alguém para algum lugar dá grandes asas ao amor.

8. RESPEITE O JARDIM SECRETO DO OUTRO

Toda relação necessita de um campo em comum para convergir e de um espaço privado onde cada um possa desenvolver os próprios interesses e se encontrar consigo mesmo. Harmonizar de forma equilibrada essas duas dimensões é um grande segredo para perdurar.

9. ADMIRE AS VITÓRIAS DO OUTRO

Amor e admiração andam de mãos dadas. Sem o olhar de apreciação, a relação vai se desgastando. Se uma das partes se sente invisível, o casal acaba se desfazendo de forma irremediável.

Seja o maior apoio da pessoa que você ama.

10. RIAM JUNTOS

Todos os relacionamentos, ainda mais quando são longos, passam por momentos de crise e dificuldade.

Ser pessimista ou levar a vida a sério demais fará o projeto descarrilar no primeiro buraco.

Como dizia um velho ator: "tragédia + tempo = comédia."

41

AKIRA KUROSAWA: TUDO PELA PERFEIÇÃO

Akira Kurosawa foi uma verdadeira lenda no mundo do cinema, numa época em que os efeitos especiais dependiam da inventividade do cineasta. Não existiam os efeitos digitais, e o diretor de clássicos como *Os sete samurais* e *Dersu Uzala* desenvolveu um estilo cuidadoso, preciso, quase doentio, no qual se destacavam ideias às vezes insólitas.

"O destino embaralha as cartas, e nós as jogamos", dizia Arthur Schopenhauer. O trabalho desse criador de mundos ensina que o esforço e a imaginação podem substituir os meios que nos faltam em momentos específicos da vida.

Kurosawa buscava a perfeição de cada cena e, para ajudar na interpretação dos atores, usava teleobjetivas em suas câmeras. Assim, as lentes ficavam bem longe, porque ele acreditava que, não as tendo por perto, os atores interpretariam melhor seus papéis.

Uma opção que escandalizaria alguns diretores.

A busca da perfeição chegava a tal ponto que ele entregava aos atores o figurino do filme semanas antes de começar a rodar para que se acostumassem e os movimentos fossem fluidos. Cabe lembrar que muitos filmes dele são ambientados no Japão feudal, então essas roupas não eram muito confortáveis.

Nos filmes, era importante o clima: a chuva, a neblina, a neve, o calor. Esses fenômenos influenciavam os atores e eram incluídos em cada uma das cenas. O filme deveria transmitir o clima aos espectadores.

Para isso, no filme *Rashomon*, que estreou em 1950, Kurosawa chegou a tingir a chuva de preto para se destacar sobre o fundo cinzento.

Essa não foi uma exceção em sua filmografia. Para obter o resultado que pretendia, ele não poupava gastos, e isso era um verdadeiro terror para os produtores. Mandou construir um castelo no filme *Ran*, de 1985, só para queimá-lo numa cena; chegou a mudar, por meios mecânicos, o curso de um riacho para que ficasse mais visível. Cinco anos antes, no filme *Kagemusha*, contratara 5 mil figurantes para aparecerem na cena da batalha final, de apenas três minutos. Durante o filme ele esgotou todos os recursos da produtora, e por isso George Lucas e Francis Ford Coppola intercederam a seu favor na Twentieth Century Fox para que investisse o capital em troca da aquisição dos direitos de distribuição internacional. Por esse motivo, a empresa aparece nos créditos como produtora.

O resultado desse extremo detalhismo são obras cinematográficas gravadas com letras de ouro na história do cinema.

Talvez só alguns poucos cinéfilos assistam aos seus filmes, mas o que ele criou transcendeu a sétima arte.

A prova disso é a homenagem que recebeu dos criadores do jogo de videogame *Ghost of Tsushima*, ambientado no Japão feudal. Este jogo conta com um uso específico de ângulos de câmera, próprio desse mestre do cinema, e dá um destaque enorme à paisagem. Além disso, é possível deixá-lo em preto e branco, no literalmente chamado "modo Kurosawa". Isso faz o jogador sentir que se move num filme do diretor mais internacional do Japão.

Esse artista sem limites é um claro exemplo de que o homem que se mantém fiel às suas ideias, sem se importar com o esforço necessário para implementá-las, acaba obtendo um resultado magnífico. Gosto de pensar nele toda vez que enfrento uma tarefa muito grande ou complexa. Nesses casos, me pergunto: o que Kurosawa faria?

42

O PICO DO MONTE FUJI

Há desafios que estão no imaginário coletivo de todos os japoneses, e um deles é subir o monte nevado do Japão.

Além do caráter sagrado, com uma miríade de santuários espalhados por suas encostas, a montanha é o pico culminante do país, com 3.776 metros de altura. Sempre nevado e venerado como um elemento religioso, em algum momento da vida todos querem atingir seu cume.

Eu fiz isso antes de atravessar a barreira dos 40 e não tenho a intenção de fazer de novo, já que, como afirma um ditado de nosso país, "quem nunca subiu o monte Fuji é insensato; quem sobe pela segunda vez é mais insensato ainda".

Apesar da fadiga de caminhar horas até o alto, é fato que 300 mil pessoas por ano empreendem essa aventura. A temporada de escalada se estende pelos meses de julho e agosto e alguns dias de setembro, quando o tempo fica agradável e tanto os abrigos quanto o transporte público estão abertos. Nesses períodos, verdadeiras caravanas de montanhistas se formam, a ponto de nem ser necessário contratar um guia, pois, na temporada de escalada, é impossível não ver pessoas subindo e descendo pelas diversas rotas (principalmente na semana do Obon, quando os trabalhadores costumam tirar férias).

Há quatro percursos para a ascensão ao monte Fuji, com 10 estações em cada uma delas, mas a maioria dos montanhistas começa a subir a partir da quinta. Até ali, o caminho é asfaltado, e pode-se ir de carro ou de ônibus.

Se planeja escalar a montanha alguma vez, é possível escolher uma destas quatro rotas:

- Trilha Yoshida (Fuji Subaru). Começando a 2.300 metros, é o caminho mais popular e o mais divulgado para quem vem de Tóquio ou dos Cinco Lagos de Fuji.
- Trilha Fujinomiya. Iniciada a 2.400 metros, tem a parada mais próxima do pico do monte Fuji e é uma das rotas mais conhecidas pelos japoneses. É a estação mais alta e, portanto, com o percurso mais curto, mas com aglomerações habituais por não dispor de caminhos separados de subida e descida.
- Trilha Subashiri. A quinta estação fica a 1.950 metros e não é tão grande nem tão bem equipada quanto as duas anteriores. A principal característica dessa rota é que ela atravessa o bosque até se unir à Trilha Yoshida, na oitava parada.
- Trilha Gotemba. Começando a 1.400 metros, é a mais baixa e com terreno mais difícil para subir, por isso é a menos concorrida de todas.

Nessas trilhas, demora-se de 4 a 10 horas para chegar ao cume, dependendo da via escolhida e do condicionamento físico de quem sobe. Para descer, leva-se de duas a seis horas. Mas essa não é toda a jornada, pois lá em cima há diversas coisas para fazer.

Além da possibilidade de visitar os santuários, há a tradição do *Ohachi Meguri*, que é conhecer a cratera vulcânica do monte (e para isso se leva cerca de uma hora), de onde é possível ter uma visão clara de toda a montanha e ver o ponto mais alto do Japão: a estação meteorológica no alto.

O Fuji é um dos símbolos do Japão há séculos, e a prova disso são as diversas séries de *ukiyo-e*, as típicas estampas pictóricas japonesas, tendo como destaque o enorme vulcão adormecido. De todas elas, a mais famosa, sem dúvida, foi realizada por Katsushika Hokusai, de quem já falamos, entre 1831 e 1833. É composta da série de gravuras "36 vistas do monte Fuji" (e 10 adicionais). Em todas elas, o monte Fuji aparece em primeiro ou em segundo plano, em paisagens ou cenas cotidianas.

A mais famosa de todas essas gravuras é *A grande onda de Kanagawa*, na qual, além dos remadores que se esforçam para não naufragar, vê-se o monte Fuji ao fundo, quase confundido com as ondas.

43

REINVENTAR A RODA

"Reinventar a roda" é uma expressão ocidental que surgiu nos anos 1970 no mundo dos negócios. É utilizado com conotação negativa quando queremos dizer que reinventar o que já existe é perda de tempo.

Não posso discordar mais, porque reinventar tanto as rodas quanto a si mesmo é a coisa mais valiosa que podemos fazer. Ou será que hoje os carros usam as mesmas rodas que as primeiras carroças da pré-história?

Darei o exemplo do maior reinventor de rodas da história.

Soichiro Honda começou a fabricar anéis de pistão para motores em 1937. Suas primeiras tentativas foram inúteis. A Toyota não os aceitou porque não passaram pelo controle de qualidade. Mas Honda não desistiu e continuou aperfeiçoando e "reinventando" os anéis de pistão (algo que muitos outros fabricantes já sabiam fazer). Em 1941, a Toyota finalmente os aceitou, e as duas empresas assinaram um contrato que ajudou Honda a expandir seu negócio e montar várias fábricas. Mas ele teve tanto azar que, em 1944, um bombardeio americano destruiu suas instalações. Soichiro não desistiu. Apenas dois anos depois, em 1946, ele fundou a Honda e pôs mãos à obra para reinventar a motocicleta. Em 1948, a empresa começou a produção em massa do primeiro modelo de moto Honda.

Pouco depois, em 1950, ele conheceu Kenji Suzuki – não confundir com outro grande fabricante de motos nem com minha família – e incentivou-o a criar uma fábrica de rodas. Kenji fundou a Enkei e começou a fornecer rodas à Honda. Hoje, a Enkei é uma das maiores empresas de rodas de liga leve do mundo e muitos consideram suas rodas as melhores que existem.

Na década de 1960, a Honda superou a venda de motos de empresas como Triumph ou Harley Davidson, até então consideradas imbatíveis.

A empresa novamente não demorou a inovar. Em 1963, pôs à venda seu primeiro carro. Não era grande coisa, mas foi um bom ponto de partida. Vinte anos depois, a Honda Motors se firmou como um dos maiores fabricantes de automóveis do mundo.

A partir daí a empresa passou à robótica: em 1986, fabricou um robô humanoide chamado Eo. Foi o começo do desenvolvimento do futuro Asimo, um dos primeiros robôs bípedes da história.

Com a virada do século, em 2003 a Honda lançou sua primeira aeronave. Em 2020, por meio da subsidiária HondaJet, passou a fabricar e vender o avião HA-420 HondaJet, um dos modelos mais inovadores pelo baixo consumo de combustível.

Se tivesse acreditado que "reinventar a roda" era perda de tempo, Soichiro Honda nunca teria aprendido a fabricar anéis de pistão, produzido uma moto nem competido com as grandes indústrias de automóveis e de aviões...

No processo de reinvenção, muitas vezes se descobrem novos caminhos e ideias. Alguns exemplos:

- A Microsoft reinventou o sistema operacional com interface de usuário.
- A Apple reinventou o telefone.
- O Google reinventou o buscador na internet.
- A Tesla reinventou o automóvel.
- A Space X reinventou o foguete espacial.

O mesmo princípio pode ser aplicado à vida e ao seu desenvolvimento como ser humano. Não se desespere se houver momentos em que você achar que está "reinventando a roda". Lembre-se da história de Soichiro Honda: duvidaram de seus anéis de pistão, bombardearam suas fábricas e hoje a empresa que as fundou produz aviões.

Reinvente a roda! Ou, melhor dizendo, reinvente sua roda! E acrescente ao processo um toque pessoal. Avance.

Não desista.

Ganbatte!

44

NOS PASSOS DE MARCO POLO

Para aprender valores como paciência, esforço, coragem e resiliência, vale a pena olhar para trás. Mais especificamente, vamos retroceder sete séculos e meio.

Na Idade Média, os frequentes viajantes articularam uma rede de relações entre os diversos territórios. Talvez o mais famoso deles tenha sido Marco Polo, tanto por registrar sua viagem por escrito em um livro que lhe deu fama internacional e que transcendeu sua própria vida, quanto pela importância que seus contemporâneos lhe atribuíram.

Embora não tenha chegado ao Japão (o *Cipango* do livro), Marco Polo foi à China e à corte de Kublai Khan (que tentou duas vezes invadir as ilhas japonesas). Sua viagem, cujo relato é repleto de licenças poéticas e de lendas intercaladas com a descrição das regiões por onde Marco Polo passou, é um exemplo de resiliência e perseverança.

O livro das maravilhas, obra pela qual Marco Polo entrou para a história, intitulava-se *Il Milione* em italiano, pelo milhão de mentiras ali contidas, embora tecnicamente não tenha sido escrito pelo veneziano.

Depois da batalha de Curzola, em 1298, Marco Polo, já tendo retornado da China, foi aprisionado pelos genoveses. Na prisão, conheceu Rustichello de Pisa, que havia trabalhado como escritor para o rei da Inglaterra.

Com apenas 17 anos, em 1271 ele abandonou sua casa para acompanhar o pai e o tio até a corte do Grande Khan, em um périplo que o obrigaria a percorrer a Rota da Seda e a atravessar a Ásia de oeste a leste. Desde o momento em que deixou sua Veneza natal até pisar no palácio de verão do Khan, em Xanadu, passaram-se uns três anos.

Durante esse tempo, com a forte convicção inicial que foi se transformando em necessidade à medida que entrava em território desconhecido, ele não abandonou seu objetivo em momento algum, pois o que estava em jogo era muito mais do que uma aventura: era sua própria vida. As dificuldades foram além dos ataques de bandidos, da adaptação a culturas desconhecidas, das guerras fratricidas entre os netos de Gengis Khan ou da travessia de desertos de pedra branca, pois ele adoeceu com tuberculose e teve que ficar um ano nas montanhas para se recuperar.

A viagem de Marco Polo é o auge de uma atividade até certo ponto comum na Idade Média. Vejamos as distâncias que se costumava percorrer naquela época. É preciso não esquecer que a única energia que movia os meios de transporte era a dos músculos dos animais ou das pessoas ou, no máximo, do vento.

Como em uma peregrinação constante, era o sol que marcava o início e o fim da jornada: enquanto havia sol, a caravana se movia. Não havia tempo a perder. Além disso, a distância percorrida em um dia era de cerca de 25 quilômetros. Quando se tinha a sorte de dispor de um cavalo, essa distância podia dobrar. Por isso era comum que os viajantes preferissem a rota marítima, tanto pela rapidez quanto pela capacidade de carga das embarcações.

No entanto, os caminhos ou rotas marítimas não eram nada seguros e podia haver ataques de bandidos, piratas ou corsários, assim como enfermidades, acidentes e naufrágios. Mas nada disso impedia que os viajantes da Idade Média se deslocassem até onde as necessidades, principalmente comerciais e religiosas, os levassem.

Muitos morriam, mas os peregrinos conviviam com isso e se sobrepunham a todos os inconvenientes encontrados pelo caminho.

Ler essas odisseias e conhecer o caráter dessas pessoas é uma inspiração para desistir de qualquer projeto que, hoje, possa nos provocar vertigens.

45

A ROTA DOS PEREGRINOS

No entanto, não é necessário evocar a época de Marco Polo para embarcar numa grande viagem de descobrimento. E sem os perigos que os antigos viajantes enfrentavam.

Vamos falar de um caminho espiritual muito adequado para os momentos da vida em que é preciso meditar sobre uma mudança profunda.

No Japão, existe uma rota de peregrinos muito parecida com o Caminho de Santiago: o *Kumano Kodō*. Ambos são os únicos caminhos espirituais considerados Patrimônio da Humanidade pela Unesco.

O caminho japonês passa pela região de Kumano, muito acidentada e com vegetação abundante, que atravessa a península de Kii. É uma região sagrada há séculos, desde que o budismo vindo da China se fundiu ao xintoísmo próprio do Japão: templos e natureza perfeitamente harmonizados é o que encontramos no caminho japonês.

O objetivo da peregrinação é venerar os três grandes templos, chamados em conjunto de *Kumano Sanzan*.

O primeiro foi construído na colina atual depois que uma

grande enchente destruiu os pavilhões antigos. O segundo fica no estuário do rio Kumano, com um eixo central majestoso e um lendário local de adoração à natureza: a árvore Nagi-no-Ki, de 800 anos. O terceiro é um antigo santuário xintoísta no meio do monte Nachi, onde fica a cascata mais alta do Japão, com 133 metros.

Desde o século X, os imperadores peregrinavam uma ou duas vezes na vida até essa região, indo de Quioto a Osaka. Eles iam pela rota Nakahechi, a mais famosa das quatro que cruzam as montanhas, de uns 40 quilômetros de extensão e nível baixo de dificuldade, só com altos e baixos pelos caminhos que serpenteiam pelas montanhas.

O ponto de partida é o santuário Takijiri-oji, e daí se entrava no chamado reino de Kumano. Depois de ir a diversos templos menores e às águas termais de Yunomine Onsen, que conta com 1.800 anos de história, começava a visita aos grandes templos.

Embora a rota imperial seja a mais famosa e a mais comum entre todos os peregrinos, existem três rotas alternativas que os viajantes seguem hoje em dia.

Se planeja peregrinar nesse território mágico, escolha um dos três caminhos possíveis:

- Trilha montanhosa, Kohechi: É a mais longa – 70 quilômetros – e difícil, porque cobre um enorme desnível de até 1.000 metros. Liga o monte Koya a Kumano.
- Trilha costeira, Ohechi: Acompanha o litoral pelo sul, de Tanabe até o templo de Fudarakusan-ji.

Aqui há uma maravilhosa vista panorâmica do oceano Pacífico.

- Trilha leste, Iseji: É um caminho que percorre a costa entre o santuário de Ise-jingu até Kumano por uma sucessão de paralelepípedos, bosques de bambu e terraços de arrozais.

Se escolher passar pelo templo de Takijiri-oji no início do caminho, o peregrino deve se aproximar da capela e rezar por uma viagem propícia com um ritual simples: tocar a sineta para avisar os deuses de sua presença, inclinar-se duas vezes, bater palma uma vez, fazer sua prece em silêncio e se inclinar de novo.

A imagem que acompanhará o viajante depois de informar seu objetivo aos deuses é o corvo de três patas (logotipo do Kumano Kodō), o chamado *yatagarasu*, mensageiro dos deuses. É um símbolo da mitologia xintoísta que representa a vontade dos deuses de intervir nos assuntos humanos, com as três patas simbolizando o Céu, a Terra e o Homem.

46

JOSEPH MERRICK: A HEROICIDADE DE SER HUMANO

Agora vou falar de um tipo de peregrinação muito mais dolorosa: aquela que, apesar de todas as adversidades, nos mantém no caminho do que é humano.

Em 1980, David Lynch comoveu o mundo com o filme *O homem elefante*, que conta a história real de Joseph Merrick, um inglês do século XIX que sofreu do terrível caso mais conhecido de síndrome de Proteus. Isso lhe provocou deformações terríveis no corpo inteiro.

Desde menino, viveu escondido na casa de diversos parentes e tentou trabalhar como vendedor ambulante até finalmente ser exposto em feiras de aberrações.

Sua vida era um inferno até que o médico londrino Frederick Treves, que internara o "homem elefante" no London Hospital sem permissão dos superiores, publicou um anúncio nos jornais pedindo ajuda financeira para criar um fundo que permitisse mantê-lo ali pelo resto da vida.

A sociedade inglesa respondeu com grande generosidade, e Joseph Merrick pôde passar os últimos anos de sua breve vida num dos quartos do hospital, que se tornou seu lar.

Incluo esse caso no livro pela impressionante humanidade e coragem de Merrick ao assumir sua doença. Apesar das fortes dores que sentia pelo corpo (a cabeça era tão grande que ele mal conseguia mantê-la erguida) e dos insultos e maus-tratos sofridos antes de ser protegido pelo médico, ele jamais deixou de ser educado ou perdeu seu caráter doce.

E não é só isso: embora, com sua reduzida mobilidade, tivesse um braço totalmente deformado e outro fino e sem forças, equivalente ao de um menino de 10 anos, ele desenvolveu grande habilidade artística.

Aprendeu cestaria e dava suas criações de vime às pessoas que o tratavam com amabilidade. Também fazia construções de cartolina. No London Hospital ainda há uma reprodução feita por Joseph Merrick da igreja que via pela janela.

Essa pequena obra de arte, de uma minuciosidade magnífica, serviu para Lynch encerrar seu filme de forma sublime. Além disso, Merrick escrevia. E, embora a mão direita ficasse incapacitada à medida que as deformações avançavam, ele aprendeu a escrever com a esquerda, com uma caligrafia limpa e elegante.

Entre seus textos que restaram, destaca-se este poema em que uniu quatro versos próprios e quatro do pastor protestante Isaac Watts:

> É verdade que minha forma é muito estranha,
> mas culpar-me disso é culpar a Deus;

se eu pudesse me criar outra vez,
procuraria não falhar em agradar-lhe.
Se pudesse alcançar de polo a polo
ou abarcar o oceano com os braços,
pediria que me medisses pela alma.
A mente é a medida do homem.

Se a mente é a medida do homem e a sensibilidade, sua expressão mais sublime, graças a seu esforço e à sua amabilidade inabalável, Joseph Merrick, falecido em 1890 com 27 anos, nos ensinou o melhor do espírito humano.

47

KŌAN

Os *kōan* são enigmas paradoxais utilizados há mais de mil anos na tradição zen-budista para desativar a mente lógica. São ferramentas para expandir a mente e ver a realidade sob pontos de vista alternativos.

O psicólogo maltês Edward de Bono os chamava de pensamento lateral.

O praticante de zen-budismo que se esforça o suficiente usando os *kōan* como objeto de meditação consegue chegar ao *kensho* ("ver a realidade essencial"), que o transforma por completo.

Um dos *kōan* mais populares e conhecidos é:

Esse é o som quando duas mãos batem palmas.
Qual é o som de uma mão só?

Quem conhece esse *kōan* nunca o esquece. De qualquer modo, experimente fechar os olhos um instante e visualize o som de uma só mão.

Os *kōan* não foram projetados como problemas para serem resolvidos de forma lógica. Eles foram escritos como ferramentas absorvidas pelo subconsciente de nossa mente intuitiva.

Quando tentamos resolver algo, muitas vezes sentimos que o melhor escorre por entre os dedos, como um punhado de areia. Mas, assim como os *kōan*, a vida não é um problema a resolver. É algo belo e precioso, o único presente que o destino nos deu quando nascemos. Só precisamos prestar atenção e saboreá-la.

Qual é o significado desse outro *kōan*, um dos mais conhecidos na China e no Japão?

Um monge perguntou a Zhaozhou:
"O cachorro tem ou não a natureza de Buda?"
Zhaozhou respondeu:
"Wu!"

無 *Wu* (em japonês se pronuncia "Mu") quer dizer "não ter, vazio, sem nada, o que não existe".

Mu!

Você se atreve a interpretá-lo?
Quais são os *kōan* de sua vida cotidiana?
O que sua intuição lhe diz que você talvez não obedeça?

48
A VIDA COMO OBRA DE ARTE

O *Asahi Shimbun* é um dos jornais de maior circulação no Japão. Mesmo depois da recente virada para o mundo digital, a versão em papel continua a ter milhões de cópias vendidas por dia.

Cheio de anúncios e notícias importantes, um quadro na capa fica reservado para uma poesia.

Todo dia, milhões de japoneses leem poesia! Há quem chegue a comprar o jornal só pelo poema e, ao terminar de lê-lo, recorte-o e guarde-o.

Autênticos colecionadores de arte.

O corre-corre dos japoneses e o espírito *ganbatte* de se esforçar e fazer tudo da melhor maneira possível levam os japoneses a recorrer a bálsamos artísticos para se lembrarem de que a vida é uma obra de arte.

Hyakunin Isshu 百人一首 é uma antologia de 100 poemas *waka* compilados por Fujiwara no Teika, no século XIII. Esses poemas cativaram os japoneses durante séculos, a ponto de surgir organicamente um jogo chamado *Uta-garuta* 歌がるた.

Grupo de mulheres jogando *Uta-garuta*. Nas cartas, estão escritos os 100 poemas *waka* da antologia Hyakunin Isshu.

O jogo de *Uta-garuta* tem dois baralhos. O primeiro se chama *yomifuda* (読札, "cartas para ler"), e em cada uma das cartas está um dos 100 poemas da antologia; o segundo se chama *torifuda* (取り札, "cartas para pegar"), e em cada uma das cartas há apenas algumas sílabas de um dos poemas.

No jogo, uma pessoa lê e controla o baralho dos poemas completos (*yomifuda*), enquanto os outros jogadores vão tirando cartas do baralho com parte das poesias (*torifuda*). Ganha quem associar mais rapidamente os fragmentos de poemas aos poemas completos.

Os melhores jogadores do Japão conseguem identificar os poemas da antologia só pelas duas ou três sílabas iniciais.

Até um gigante japonês como a Nintendo está estreitamente relacionado com os 100 poemas, pois a empresa foi fundada em 1889 como fabricante e vendedora de cartas, com um produto principal: os baralhos *Uta-garuta*, que, ao lado dos consoles e videogames, ainda são vendidos hoje e são seu carro-chefe.

A imperatriz Jitō escreve o poema número dois da antologia Hyakunin Isshu

O poema número dois da antologia é um dos mais famosos. Foi escrito pela imperatriz Jitō no século VII:

A primavera já passou,
e os vestidos brancos do verão estão secando
com as fragrâncias sagradas do monte Kagu.

Num mundo que tende cada vez mais ao racional e ao planejado, a poesia fala diretamente ao nosso coração, à nossa natureza humana. Às vezes podemos perder o ponto de vista, ficar obcecados por conseguir alguma coisa, nos esforçando sem pausa todos os dias... mas em meio à correria do dia a dia, não se esqueça de respirar e banhar seu coração com arte e beleza.

49

NUNCA APRESSE A VIAGEM

Antes da pandemia, numa visita que fiz a Tóquio, ouvi uma conversa singular entre dois viajantes. Fui à livraria Tsutaya para dar uma entrevista que seria publicada numa revista.

Esse lugar de Daikanyama é um paraíso para os amantes da cultura. Ocupa três edifícios modernos rodeados de verde e está sempre cheio de estudantes e bibliófilos.

Seguindo meu costume, cheguei antes da hora marcada e passei pela seção de viagens. Ali encontrei dois jovens que, na seção de guias, debatiam sobre um trajeto pela Europa. Não pude deixar de ouvir os detalhes da discussão.

Ao que parecia, ambos eram arquitetos e tinham duas semanas para seu itinerário. A princípio, tinham planejado visitar sete países com seu bilhete de trem, mas um deles mostrou no mapa que, sendo os países europeus tão pequenos, era possível visitar 10.

Essa é uma avidez que vejo com frequência em certo tipo de viajante. Mais do que conhecer a fundo os lugares, ele parece mais interessado em cruzar fronteiras e pôr no mapa uma bandeirola que diga "Estive aqui". Pode-se presumir que pisou em 100 países, mas não se aprofundou em nenhum deles.

A cena me fez pensar, pelo contraste, em *Viagem a Ítaca*, de Konstantino Kaváfis. Começa assim:

> Quando partires em viagem a Ítaca
> pede que o caminho seja longo,
> cheio de aventuras, cheio de experiências.

Para o poeta de Alexandria, a viagem em si é mais importante do que a meta, do que alcançar um objetivo, e ele ilustra essa ideia desta maneira:

> Pede que o caminho seja longo.
> Que sejam muitas as manhãs de verão
> em que chegues, com muito prazer e muita alegria,
> a portos nunca vistos.
>
> Vê muitas cidades egípcias
> para aprender, para aprender com seus sábios.

Trata-se, portanto, de desfrutar do caminho, onde estiver e com quem estiver, não de acumular bandeirolas, de quebrar recordes e, muito menos, de correr.

O cânone desse poeta de Alexandria, considerado o mais importante dos últimos 2 mil anos em idioma grego, consta de 154 poemas. Não parece muito para 50 anos de escrita, mas seu esforço constante e paciente o fez entrar para a eternidade.

Kaváfis termina o texto com uma bela metáfora da viagem da vida:

> Guarda sempre Ítaca na mente.
> Chegar lá é seu destino.
> Mas nunca apresses a viagem.
> Melhor que dure muitos anos
> e atracar, já velho, na ilha,
> enriquecido com o que ganhaste no caminho
> sem esperar que Ítaca te enriqueça.
>
> Ítaca lhe deu a viagem tão bela.
> Sem ela, não terias começado o caminho.
> Mas não tem nada a lhe dar.
>
> Embora a encontres pobre, Ítaca não te enganou.
> Assim, sábio como voltaste, com tanta experiência,
> entenderás o que significam as Ítacas.

50

AS 10 LEIS DO *GANBATTE*

1. ESFORCE-SE O MÁXIMO QUE PUDER
Isso significa *ganbatte*.

Significa dar o melhor de si a cada momento, segundo sua capacidade. O resultado não importa; você terá a satisfação de saber que fez o melhor possível.

2. ESQUENTE A PEDRA
Como o ditado japonês que convida a se sentar durante três anos para derreter um obstáculo, o sucesso não depende de um esforço pontual e desmesurado, mas da constância naquilo a que você se propôs.

Um pouco a cada dia.

3. CAIA PARA A FRENTE
Não importa cometer erros, se com o erro você aprender uma lição que lhe permita avançar.

A ciência avança por tentativa e erro.

Tentar, falhar e melhorar é a melhor maneira de se transformar.

4. SEJA FLEXÍVEL E RESILIENTE

A palavra *resiliência* se aplica aos metais que não se rompem quando dobrados, pois são maleáveis e voltam à posição inicial depois de liberados da pressão.

Seu esforço deve se ajustar à mudança das circunstâncias da vida.

5. DESCARTE NA HORA CERTA

Há uma linha muito tênue entre jogar a toalha cedo demais ou tarde demais.

Não insista no que já está provado que não dá certo.

Seja perseverante, mas escute seu coração para saber quando é o momento de deixar um caminho para começar outro.

6. OLHE PARA SEUS PÉS E PARA O HORIZONTE AO MESMO TEMPO

Concentre-se em cada passo, em suas rotinas diárias, mas, ao mesmo tempo, tenha em mente seus planos de longo prazo.

Esse olhar lhe permitirá conseguir coisas que agora você só consegue imaginar.

7. OS RITUAIS SÃO MAIS IMPORTANTES DO QUE AS METAS

Um projeto concluído é fruto de hábitos concretos que se aplicam dia a dia até que você consiga aquilo a que se propôs.

Para os japoneses, a forma de fazer é mais importante do que o próprio resultado.

Concentre-se no caminho para chegar melhor ao destino.

8. TUDO COMEÇA NA MENTE

Antes de conseguir algo, imagine.

Projete em sua tela mental o esforço que o fará chegar ao lugar sonhado e traduza esse propósito em passos e etapas.

9. DESFRUTE DA VIAGEM

Não faça de seus objetivos uma ansiedade constante.

O prêmio está no próprio caminho, quando você usufrui aprendizados, pessoas e experiências que você encontra na travessia.

Estar em movimento já é uma vitória.

10. COMECE AGORA MESMO, *GANBATTE!*

Seja o que for, aquilo a que você se propõe só começará a se tornar realidade se não for deixado para amanhã.

Faça já. E, se desanimar em algum momento, lembre-se: *Ganbatte!*

NOTA FINAL

Você chegou ao fim deste livro, e essa é a prova de que tem dentro de si o espírito *ganbatte*. Agora que conhece suas ferramentas, você poderá aplicá-las nos novos capítulos de sua vida, que serão escritos com esforço e entusiasmo.

Nada me dá mais pena do que ver alguém que desperdiça o próprio potencial. O talento é muito mais comum do que a perseverança, mas as duas virtudes são necessárias na alquimia do sucesso. Alimente seu gênio avançando a cada dia, movendo-se, adaptando-se... mas sem esquecer o mais importante: o horizonte que você estabeleceu.

Na famosa fábula da cigarra e da formiga, o trabalho contínuo da segunda lhe permite superar o inverno, graças à sua determinação, ao seu esforço e à sua humildade. Uma lição valiosa em tempos de adversidade.

Você chegará longe, como se propôs, se for constante como uma formiga, mas tiver o olhar da águia, se não desistir diante dos obstáculos, se fluir como a água e se adaptar às turbulências da vida, se for flexível como o junco e leve como o vento.

À sua espera está uma travessia única, uma viagem que só você pode fazer.

Navegue pelas ondas da existência com um sorriso. Aconteça o que acontecer, siga em frente com entusiasmo, amor e constância. Sobretudo, creia em si mesmo e na sabedoria de seu coração.

Ganbatte!
— Nobuo Suzuki

CONHEÇA OUTROS LIVROS DA EDITORA SEXTANTE

Ichigo-ichie
Francesc Miralles

A expressão japonesa Ichigo-ichie foi usada pela primeira vez há meio milênio, pelo criador da tradicional cerimônia do chá, e pode ser traduzida como "o que estamos vivendo agora não se repetirá nunca mais".

A partir dessa premissa, Francesc Miralles e Héctor García apresentam um livro encantador, capaz de nos fazer enxergar a beleza efêmera de cada instante.

No entanto, mais do que lembrar que nossa existência é breve, o Ichigo-ichie ressalta que estamos vivos e que, por isso, devemos aproveitar plenamente todas as nossas experiências.

Mesclando histórias inspiradoras e dicas práticas, os autores nos ensinam a:

- Criar conexões mais profundas com as outras pessoas.
- Despertar nossos sentidos e abrir as portas para a sincronicidade.
- Abandonar a preocupação com o passado e o futuro para viver o agora.
- Organizar encontros e celebrações memoráveis.
- Integrar à nossa vida a filosofia zen que inspirou Steve Jobs.
- Valorizar cada momento, conscientes de que ele nunca se repetirá da mesma forma.

Nietzsche para estressados
Allan Percy

Nietzsche para estressados é um manual inteligente e estimulante que reúne 99 máximas do gênio alemão e sua aplicação a várias situações do dia a dia.

Este breve curso de filosofia cotidiana foi criado por Allan Percy para nos auxiliar nos momentos em que precisamos tomar decisões, recuperar o ânimo, encontrar o caminho certo e relativizar a importância dos fatos da vida.

Cada capítulo é iniciado por um aforismo do grande mestre, seguido de uma interpretação atual. Muitas vezes, sua sabedoria é associada às ideias de outros autores renomados, enriquecendo ainda mais o assunto.

O legado de Nietzsche induz à reflexão e oferece uma forma inovadora de superar as dificuldades. Conheça algumas de suas frases marcantes:

- O que não nos mata nos fortalece
- Quem tem uma razão de viver é capaz de suportar qualquer coisa
- O reino dos céus é uma condição do coração e não algo que cai na terra ou que surge depois da morte
- Os maiores êxitos não são os que fazem mais ruído e sim nossas horas mais silenciosas

A Boa Sorte
Álex Rovira Celma

Você sabe qual é a diferença entre a sorte e a Boa Sorte?

Se você sempre acreditou que a sorte é uma questão de acaso, esta história inspiradora vai lhe mostrar que ela nada tem a ver com um acontecimento fortuito e que cabe a nós criarmos as condições para que ela aconteça em nossa vida.

A Boa Sorte começa com o reencontro de dois amigos de infância que não se viam havia 50 anos. Um deles se tornou muito bem-sucedido, enquanto o outro não soube aproveitar as oportunidades que teve. O segredo daquele que foi próspero sempre esteve em uma fábula que seu avô lhe contava quando era criança e que lhe serviu de guia ao longo dos anos.

Publicada em mais de 60 países e comparada a clássicos como *O Alquimista* e *Quem mexeu no meu queijo?*, esta fábula mostra como criar as condições favoráveis para o sucesso mesmo nas circunstâncias mais difíceis.

A coragem de não agradar
Ichiro Kishimi

Inspirado nas ideias de Alfred Adler – um dos expoentes da psicologia ao lado de Sigmund Freud e Carl Jung –, *A coragem de não agradar* apresenta o debate transformador entre um jovem e um filósofo.

Ao longo de cinco noites, eles discutem temas como autoestima, raiva, autoaceitação e complexo de inferioridade. Aos poucos, fica claro que libertar-se das expectativas alheias e das dúvidas que nos paralisam e encontrar a coragem para mudar está ao alcance de todos.

Assim como nos diálogos de Platão, em que o conhecimento vai sendo construído através do debate, o filósofo oferece ao rapaz as ferramentas necessárias para que ele se torne capaz de se reinventar e de dizer não às limitações impostas por si mesmo e pelos outros.

Transformando suor em ouro
Bernardinho

Obstinado, persistente, perfeccionista e motivador, Bernardinho se tornou o maior técnico de vôlei da história do Brasil – e um dos grandes treinadores do esporte coletivo em todo o mundo. *Transformando suor em ouro* é a história de Bernardinho contada por ele mesmo, desde os tempos de jogador até a consagração como técnico com o ouro olímpico.

Mais do que relatar uma epopeia esportiva emocionante, o livro apresenta facetas desconhecidas do treinador ao mostrar em detalhes como Bernardinho burilou o método que batizou de Roda da Excelência.

O treinador da seleção brasileira masculina de vôlei revela-se um grande estudioso, um leitor atento dos mestres, tanto do esporte quanto da administração, como John Wooden, Winston Churchill e James Hunter. Retira deles o que cada um tem de melhor e, nas quadras, testa esses ensinamentos, incorporando alguns, descartando outros, adaptando muitos.

Bernardinho revela por inteiro o "segredo" que fez dele um dos palestrantes mais requisitados por grandes empresas em busca de um diferencial competitivo no mundo dos negócios.

Oportunidades disfarçadas
Carlos Domingos

Em momentos de crise, o melhor a fazer é não se arriscar, certo? Errado. Essa é a hora de sair à procura de boas oportunidades de ganhar dinheiro.

Oportunidades disfarçadas é um verdadeiro catálogo de ideias criativas e soluções originais para as mais variadas dificuldades vividas por empresas de todos os tamanhos.

Resultado de sete anos de pesquisa, este livro reúne 200 casos reais de companhias e pessoas que transformaram grandes problemas nas melhores chances de suas vidas.

Você vai se surpreender com histórias como a do vendedor de enciclopédias quase falido que, para atrair as compradoras, dava perfumes de brinde. O sucesso da fragrância foi tão grande que ele percebeu que o melhor seria mudar de ramo. Nascia, assim, a Avon.

Esta é uma leitura obrigatória para executivos, empresários e todo profissional que busca sobreviver à atual crise financeira e vencer no mundo competitivo em que vivemos.

Nunca desista de seus sonhos
Augusto Cury

Com 25 milhões de livros vendidos sobre temas como crescimento pessoal, inteligência e qualidade de vida, o psiquiatra Augusto Cury debruça-se aqui sobre nossa capacidade de sonhar e quanto ela é fundamental na realização de nossos projetos de vida.

Os sonhos são como uma bússola, indicando os caminhos que seguiremos e as metas que queremos alcançar. São eles que nos impulsionam, nos fortalecem e nos permitem crescer.

Se os sonhos são pequenos, nossas possibilidades de sucesso também serão limitadas. Desistir dos sonhos é abrir mão da felicidade, porque quem não persegue seus objetivos está condenado a fracassar 100% das vezes.

Analisando a trajetória vitoriosa de grandes sonhadores, como Jesus Cristo, Abraham Lincoln e Martin Luther King, Cury nos faz repensar nossa vida e nos inspira a não deixar nossos sonhos morrerem.

Para saber mais sobre os títulos e autores da Editora Sextante,
visite o nosso site e siga as nossas redes sociais.
Além de informações sobre os próximos lançamentos,
você terá acesso a conteúdos exclusivos
e poderá participar de promoções e sorteios.

sextante.com.br